豆タンクと零細企業

日本が進むべき道を考える・
国民が進むべき道を考える

細井みつを
HOSOI Mitsuo

文芸社

プロローグ

皆さん、お久しぶりです。アマチュア片手間作家でしたので、前作が最初にして最後と思っていましたが、周りのたくさんの方々や前作の読者さんに支えられ、なんとか二作目を執筆することができました。ご丁寧にお手紙やメールをいただき有り難うございます。

これも偏に、皆さんのおかげの賜物と深謝いたします。

そして今回も、ほんのひとときでも、ほっと一息ついて、この本を楽しんでいただけたら本望ですし、作家冥利につきます。

そこで皆さんに、読み始める前にお願いがあります。それは本文を読む前に、かならずこのプロローグを読んでいただきたいのです。なぜならそれは、読んでいただかないと、文章が意味不明にもなりかねませんので、ぜひお願い申し上げます。

さて、皆さんの中で、昭和四十年代以降の生まれの方にお尋ねします。

この本のタイトルに使われている「豆タンク」とは、どういう意味かご存じの方はいらっしゃるでしょうか？　おそらく、豆はそのままのとおり食べる「豆」であり、タンクもそのままのとおり、水や液体などを貯蔵しておく「水槽」＝「貯蔵庫」、すなわち、「豆を保存しておく貯蔵庫」というようなものを連想されたのではないでしょうか？

昭和四十年代以前に生まれた人たちが主に子どものころ、小さくても強くて力持ちの人を、一部の地域だと思いますが、「豆タンク」と呼んでいました。「タンク」とは、戦車のことを指します。第一次世界大戦で初めて使われるときに、敵に武装がバレないように、「水槽」と隠語を使ったのが始まりだそうです（大辞泉引用）。つまり、「なりは豆のように小さいくせに、戦車のように強くて力持ち」の人をこう呼んだのです。しかしそれは、いじめ言葉でもないし、その人をバカにした言葉でもありません。むしろどちらかというと、尊敬の念を込めた言い回しと言えます。ですから、悪い人たちや子どもは決してそう呼ばれません。豆タンクのような強い力は、人を助けたり、何かを手伝ったりするときに使ってくれるのです。

このように、なりは小さくとも世のため人のために強い力を発揮してくれる人のことを、「豆タンク」と言います。

そして、この本を手にとっていただける読者さんのなかには、「零細企業といったいどんな繋がりがあるんだよー」と疑問を持つ貴兄もいらっしゃることでしょう。そこで本書では、世のため人のため企業のため、さらに広げて世界のため地球のため、そして最後に宇宙のために役に立つことができる人のことを総じて、「豆タンク」と位置づけることとします。

そしてこの本では、そのような人は、この世の中でどのように生まれてくるのか（現れるのか）？　そしてどのようにかかわり、地球や人を助けていくのかを多少の雑談を交えながら述べていきますが、御手にしていただけたら、誠に幸いに思います。

また、今回の執筆のきっかけとなった前作『日本、一億人総幼稚時代』でいただいたお便りやメール、そしてなんと出版社の文芸社さんに電話で、あたたかいお言葉や励ましの伝言をいただきましたこと、誠に有り難うございます。生涯の一作限りで終えようと思いましたが、背中を押されました。

また皆さんとお会いできましたことを、たいへんうれしく思います。

それでは今回も、「細井節」をどんどん炸裂してまいります。

豆タンクと零細企業◎もくじ

第一章　平和ボケと緊縮財政ボケした日本が、コロナの有事を経験して学ぶこと

1. 近未来の日本内外に於ける政府の（安倍首相が述べていた）諸課題に思うこと
——国から国民が経世済民と安心を与えてもらったなら、今度は国民が世のため人のために働き、世の中のために何かを与える気概をもつ。

二〇一九年十二月、当時の内閣総理大臣・安倍晋三氏が「内外情勢調査会」全国懇談会で、「当面の内外の諸課題」と題して講演しました。

その中で、東京五輪など、未来を切り開くことを契機に、近未来のあり方を次のように述べました。「一九六四年のころは、新学期になれば新しい教科書が配られ、わくわくしながらページをめくったものですが、現代では、パソコンやタブレットといったＩＴ端末が学用品に加わるのは当然のことです」とした上で、「今春からは小中学生一人ひとりにＩＴ端末の支給を

開始、四年ですべての子どもたちに行き渡るようにしてデジタル社会におけるプログラミングを学ぶ環境を整備する、まさに『国家百年の計だ』」とこのように述べました。

さらに「ポスト5Gを視野に入れた研究開発支援や、大胆な税制によって5Gへの投資を後押しする」とも述べましたが、日本の未来に果たして、それがそんなに必要なことなのでしょうか？　僕は安倍首相には『国家の品格』の著者で有名な藤原正彦先生のように、小中学生の教育は、人としての基礎を身につけて育成させる時期とし、算数と、何より国語を徹底的に強化していきたいと論じて欲しかったです。僕は「温故知新」なくして日本の未来繁栄はないと断じたいのです。

コンピュータープログラミングを一つとっても、国語力なくして、よいプランニングやソフトは生まれてこないのです。なぜならソフトのプログラミングの基本とは、「言語」だからです。たとえば（IF.GO.TO）というプログラム言語があります。それは直訳すると、「もし、そこへ行く」となりますが、柔軟な国語の表現力を身につけている子どもなら、「もし、いつもの決まりどおりにいかないことが起きたら、無条件に次に指示するプログラムへ飛びなさい」＝「例外の把握」をコンピューターにプログラミングをするのだなと、ここまで理解することができるのです。これが僕の言う「温故知新」です。一見、なんのつながりもなさそうな、昔の国語の教科書といったアナログ的な勉強が、ＡＩやデジタル端末のプログラミングの基本になるということなのです。二言目には「かわいい」としか言えない国語力や語彙《ごい》力、ひいては表現力などの想像性が乏しい子どもには、たいへん難しいものとなるのではないでしょうか？だからこそ小中学生の義務教育は、大人への「登竜門」となるのです。ですから、安倍首相が講演会で述べた「課題」も高校生からでも充分ですし、遅くはないことだと僕は申し上げたいのですが、如何でしょうか？

また、社会保障制度については、「現役世代も安心できるものに改革していかなければならない……年金受給開始年齢の選択肢を七十五歳までに拡大する。一年先送りするたびに八・四％ずつ受給額がアップするので、意欲のある皆さんに、六十五歳以降も働ける機会を確保するために、定年の廃止、または七十歳までの延長を義務づけるほか、継続雇用や起業支援などの選択肢も用意した上で、個々の事情に合った形態を選んでもらう」と述べましたが、もう充分だと思います。そろそろこの辺りで宜しいのではないでしょうか？　もうこれ以上の定年延長の「社会保障」は、少なくとも消費税減税か廃止をしなければ意味のないものではないでしょうか？　なぜなら、せっかく年金を支給してもらっても、衣食住に情け容赦なく降りかかる一〇％の消費税を支払っていくのなら、決して楽な老後生活などできないからです。水が漏れる穴あきの水筒を持たされているようなものです。またこの消費税のせいで、生活費が足らず、やむを得ず老体に鞭を打って、勤労の延長をしているかも知れないのです。政府が「現代の初老の方々は長寿の影響もあり、六十五歳以上でもまだまだ元気に働くことができるので……」もその悪循環の遠因を隠すための机上の空論です。それよりもむしろ今は年金支給を意味あるものとしていけるように、社会保障費用に回っていない消費税を減税か廃止をして、建設国債や大規模な財政投融資などの発行で、日本経済や国内総生産（GDP）を活発化させ、デフレ不況から→インフレ活況にするべきではないでしょうか？　長く働けても肝心な仕事に暇《いとま》ができてしまえば本末転倒というものです。そのためには、消費税減税の代わりに法人税や所得税といった直接税の税率引き上げも必要になってくるでしょう。

日本の国債は一〇〇％円建て（自国建て）だから破綻のしようがないはずです。これはさすがに国民にウソはつけないという思惑で、財務省も潔く認めています。これにはさすがに「お偉方たち」だなぁと僕も感銘を受けます。認めていないのは、自分の身だけがカワイイ、間違いを認めない古い経済学者たちです。

なぜ破綻しないのか？

国家の当座預金をもつ日本銀行は、政府の子会社のようなものだから、国債を買い取ってもらっても政府はせいぜい自分か、自分の親に借金しているようなものです。つまり言葉は悪いですが、「踏み倒してよい」借金なのです。つまり、政府が財政投融資のための必要なお金を、日銀から「国債借用証書」なるものを差し入れて、日銀当座預金からお金を借り入れます。でも、現金紙幣（日本銀行券）がうごくわけではなく、その金額を書く（記入）だけで国債の発行をしてもらい、日銀にそれを買い取らせる形で当座預金を借ります。ここも通帳に記入するだけです。そして日銀が買い取れば、政府の返済負担（負債）がなくなりますが、名目は借方（負債）になります。その逆で、国債の発行により、建設国債などで生産活動を得た企業は、日銀から振り出された政府小切手で支払ってもらい、それを市中銀行に持ち込むとここで初めて現金にかえられて通帳記入が行われます。そしてその企業は、国に対して貸方の立場に転じているから資産となり、働く国民（社員）は利益の分配で賃金が支払われるのです。すなわち国の負債（赤字）は、国民の資産（黒字）となるわけです。大胆な財政投融資→大量の国債発行→赤字国債→借金返済→債務不履行→破綻・不景気は関係ありません。緊縮財政派のでたらめであり、私たちの錯覚です。これが経世論研究所所長の三橋貴明先生が提唱するMMT（モダン・マネタリー・セオリー＝現代貨幣理論）です。しかも我国の諸外国への借金とその逆の貸付金との差額は、約プラス三七〇兆円にものぼる黒字で回っていると、三橋先生は言います。これは世界最高の国家の「純資産」らしいです。

よく、膨らむ赤字国債は経済破綻を招く道と言う人たちが、さらに「ほら、ギリシャの経済破綻を見てごらんなさい」とも言いそうですが、ギリシャの破綻の原因は、すべてがユーロ（外貨）建てだったからです。ユーロは共通通貨であり、聞こえはいいですが、負債や借金になれば財政主権も金融主権もないギリシャにとっては、外貨建てと同じことです。つまり、ギリシャの自国建てではなかったのが原因です。当たり前ですよね？　他国から「借金返してね」と言われたら絶対逃げようがありませんから「債務不履行」となり、破綻します。

逆にその機会を利用して、ユーロの信用度を落とし、為替をユーロ安に誘導して自国の自動車輸出などで、大儲けしたのがドイツです。

話を戻しますが、以上の点を踏まえれば、やはり財政投融資のための国債発行を大胆にするべきだと思います。そしてその額も、三七〇兆円という純資産から鑑みれば、数十兆円単位の規模で第二次・第三次の補正予算に分けて発行するべきです。なぜなら、今回のコロナ禍における世界経済の滞りと生産量（ＧＤＰ）の落ち込みは、一九二九年の世界恐慌以来の「第二次世界恐慌」と断言してもよいくらい深刻な不況だと、三橋先生は言います。ちなみに、世界のＧＤＰ（国内総生産）年率換算でマイナス四〇％以上の落ち込みになれば、大恐慌と結論づけています。さらに日本のＧＤＰも、令和二年度末の翌年三月の期末決算で、このままではマイナス四〇％前後の落ち込みとなりそうで、日本も含め世界的規模で恐慌を迎えることはほぼ、間違いありません。そのときに、少しでも被害を軽減させるための起爆剤の効果を期待するのなら、予備費でなく、真水の数十兆円単位の国債発行が不可欠で、二〇一九年度並のＧＤＰに戻すだけでも、総額で一二〇～一三〇兆円は必要だと算出しています。

そしてさらに、これからはなぜ年金支給額が満額支給にできないのか？　なぜ少子高齢化の社会へと進んでしまうのか？　はたまたそれを阻止するためには、国は何をなすべきかを政府として国民と真摯に向き合い、国債を発行すべきところを熟考していくべきではないだろうか？　併せて、夫婦別姓・三世代疎遠による超核家族化、子ども迎合主義や増えていく低所得者の若者の晩婚化・未婚化などなど、山積している問題を国民にヒアリングをかけながら解決していくべきではないだろうか？　近年、政府は国民に冷たくなり、国民は政府に無関心過ぎると僕は思うのです。これだけの「少子超高齢化」の現代や近未来を鑑みたとき、このままの政治では、年金支給額割合の満額を給付できない年金積立どろぼうとなり、国民の厚生さえもできない国に成り下がります。発展途上化も進むでしょう。つまり上記した社会の事象すべてが、国民の身もこころも貧しくさせてしまう、政府・財務省の緊縮財政主義がその遠因と三橋先生は結論づけています。そして国民が積み立ててきた金額では足らず、年金を満額賄えないのなら、ずばり国債を発行して年金支給すればいいのです。その奥の手を政府は国民に言わずに隠しているだけです。よって、社会保障や年金支給にお金の問題（不足）はないのです。

しかしここで別の問題が発生します。それは少子高齢化社会で現役生産供給能力者（生産年齢人口）が減少した世の中で、年金を支給された増え続ける高齢者が衣食住に使うために消費をすれば総需要が増え、インフレギャップに転じて供給不足となるからです。しかしこの問題も、毎年わずか〇・六％ずつの生産性向上の合理化を進めれば問題は解決できると三橋先生は言っています。

また、iPS細胞の再生医療でノーベル賞を受賞した山中先生や、オプジーボという癌の抑制剤をつくり、同じくノーベル賞を受賞した本庶先生らの「研究費が全然足りていない！　なんとかして欲しい」という悲痛なお声を聞いたことが、皆さんにもあるでしょう？　ケチケチ財務省と政府が、緊縮財政で予算をつけてくれないのです。現在の純資産なら、いくらでも国債を発行できるくせに、です。そのせいで本研究員は一割程度で、九割が契約社員ということで永年研究が行われにくく、日本からいずれノーベル賞受賞者がいなくなり、発展途上国化の要因の一つにもなり得る由々しき事態です。

そして、これからの日本社会を担っていく現代と未来の若者たちが安心して結婚して「子孫繁栄」を築いてもらい、少子高齢化を解消しうる政策や発展のために国家資産を運用してＧＤＰを増やし、このコロナ禍ではさらにそれを繰り返していく「黄金循環」をつくる必要と責任が政府にはあるのです。それこそが財政拡大であり、資本（自由）主義国の基本です。そのために政府が負債を背負うことを、「借金」とか「赤字国債」という呼び方をして「悪」と考える政府や国民は資本主義に生きていないということです。資本主義国が健全な経済成長（GDP拡大）を続けることに於いて、「借金」は基本だと三橋先生は断言しています。

麻生財務大臣も、実は財務大臣になる以前は、三橋先生の日本政府の明治時代からの百年間の負債額を棒グラフ表で見せられたとき、「一体いつになったら破綻するんだよ！　しないだろ、これ」と納得して、「財政拡大はやる。デフレ脱却だ」と言ってくれたらしいのですが、財務大臣になってから、だんだんやっぱり緊縮財政派に変わっていったと残念がっていました。僕もとても残念に思います。実家がコンクリート屋さんなのに……。

話は戻りますが、僕ら現役国民もまた、生産性向上の努力で日本のGDP（生産能力）を高めて国民のために備えるような大所高所から考える気持ちが大切でありましょう。それが「人は、与え合って初めて成長するもの」の精神であり、所以です。

しかしながら、日本の少子高齢化による生産年齢人口比率の減少を、生産の技術革新によって水準（生産性向上）を上げれば、一人当たりのGDP（国内総生産）を現在よりむしろ拡大させるチャンスになり得るとも三橋先生はおっしゃいましたが、一製造販売零細企業の私ごときが憚りながら意見するのは恐縮ですが、一つ申し上げなければならないことがあります。それは耐久消費財のことです。

弊社は昭和五年から建設資材の耐久消費財を製造販売しているメーカーです。食料品や使い捨ての消耗品と違って、耐久年数の中で経年劣化や摩耗のある製品ですが、たとえば少子高齢化で人口が半分に減少すれば、理屈上では耐久年数は逆に二倍に伸びるのです。なぜなら、人や乗り物の移動が半分になれば、劣化や摩耗の進度も半分になり、需要や交換頻度（サイクル）の時期がさらに延びてしまう可能性があるからです。つまり、人口の減少が交通量の減少にもなり、耐久消費財製品を長持ちさせてしまうということです。さらに、人口がもし半分になれば、国土インフラ整備の公共設備投資の支出も半分にされかねません。国や人類にとってコア（人口）の減少は経済活動の縮小ともなり、耐久消費財を製造する企業は以上の理由により、さらにそれ以上の縮小も余儀なくされかねないのです。

よって食料や使い捨て製品などの「消耗品」とは違う耐久消費財の生産業界は、生産性の向上だけでは、ＧＤＰが継続的に拡大していく「経済成長の黄金循環」に乗っていくことは難しいと思うのです。

弊社の製品は製造年月日を製品に表示してありますが、人口密度の少ないところですと、昭和四十年代製のものが未だ現役で頑張っている個所もありますので、交換サイクルは三十年から五十年という「超耐久消費財」ぶりを発揮しています。よって、先ほどの「二倍」の話に当てはめれば、六十年から百年という、気の遠くなるような交換サイクルになってしまうかも知れません。もちろん、それは予測もしていて「ぽかん」としているわけではなく、依存度分散のため、他業界の新規参入を目論んでいるのは言うまでもありませんが。

2. 民主制（自由主義）の国の国民としての自己責任とは何か？
——やはり僕は、存在し得ると思えてしまう。

そして、今回のコロナの世界的感染問題における国内の感染拡大防止対策で、政府の緊急事態宣言特別措置法の外出自粛要請が発出されたので、経済活動の自粛などの結果、企業経営の滞りや収入低下などの煽りを受けている国民が数多います。ちなみに「発出」とは、緊急事態下でも治安維持の行動禁止の強制は憲法に抵触するので、「発令」ができない、情けない日本だけが使う動詞です。しかし、この禁止という「発令」をしないで、要請という「発出」に留めた措置こそ、休業補償や世帯収入の補助をしたくない政府の方針であるという見解もあります。つまり、外出・経済活動・生産活動の禁止という発令や規制ですと、休業補償は全額支給しなければならないのは当然と言えますが、自粛要請という発出にとどめておけば、休業補償はしない・できないという言い訳が成り立つからです。しかし僕は、それらの意図があったことは否めませんが、第一の理由はやはり、憲法の改正を見送り続けた結果の災害や有事に対する不備が原因だと思います。そこへ今回のコロナの有事ですから、「憲法の改正を先送りにしてきたから、今回のように中途半端な要請しかできない」と、正に千載一遇の言い訳のチャンスが出来上がったというわけです。まあ、「憲法」か「不補償」のどっちが先で後かという問題で、結果は変わらなかったと言ったところでしょうか？

そして多くの国民は、収入補償対策だとか緊急支援、現金一時支給とか叫んでいるようです。弊社も弱小零細企業だから、のどから手が出るほど欲しいですし、皆さんのお気持ちもよくわかりますが、僕はふと思うのです。叩かれるのを覚悟で言います。たいへん厳しいことを申し上げて恐縮ですが、会社やお店ならば法人定期預金や内部留保金。個人なら預貯金。普段から緊急のときの備えとして、それらの蓄えはしていないの？　と言いたくなるのは僕だけでしょうか？　もちろん政府も補償すべきなのは言うまでもありません。特に強制解雇や給料未払い、業務遂行の一時停止、閉店や倒産による失業などの社会的な理不尽に対しては、国は救済していくべきですし、また、コロナ感染拡大問題以前から生活保護を受けている人たちも当然現状は維持すべきです。しかしその他で、自営の会社やお店の売上が減ったとか、生活費が嵩むとか、ただ不安定なだけで、国に何かしてもらうことを直ちに要求したり、期待したりするのは少し筋が違うのではないでしょうか？　それとも自分の預貯金や、会社やお店の内部留保金は切り崩さないで援助してもらおうと思っているのでしょうか？　確かにケチケチ財務省の緊縮財政主義で、政府から生産性を必要とする仕事がもらえてないのですから、「内部留保金なんてあるわけないだろ」と言いたくもなります。しかし、今回の外出や行動の自粛要請が、たとえば半年も続いた後なら理解はできますが、四月五日現在、まだ二ヵ月程度が過ぎたばかりです。少なくとも、何かの不可抗力的災害や有事の緊急時に、家やお店や自営の会社に、経済的「備え」がないのは国だけのせいではありません。それがたとえ「国が自粛要請を発出したのだから、補償は当然だろ」という言い分があったとしても、です。最近では政府が、景気・経済対策に対して無策であり、デフレ不景気も続き、愚策ばかりのうえに格差も広がり、挙句のはては「自己責任で」と平気で言う国政になったと非難する国民や学識者の方々のご意見もあります。

それでも僕はあえて、自己責任も少なからずあると思うのです。従いまして、できる範囲でいいので、まずは身銭を切ってみる。それでも賄いきれないときに、特別枠の融資などの支援を待つのが国民の筋だと思うのですが、間違ってますでしょうか？

やはり、不公平で国民の役に立たない消費税は除いたとしても、皆さんが支払った税金からの補償費だからこそ、果たすことを果たし、為すべきことを為したうえでという「縛り」みたいなものが大切なような気が、僕はします。

政府も「現金一時給付」とか「休業補償」の各々にどうしても数字上や線引きの不公平感が表れてきて躊躇し、矛盾を恐れて、いつになっても支給の決裁がおりずに時間がかかってしまうのは、今日明日にでも食えなくなってしまうような瀬戸際にいる人たちを考えれば、たいへん良くないことです。よって、それに加えて僕はもっと「融資」のほうにも目を向けるべきだと思います。もちろん各自治体の裁量になりますが、政府が臨時交付金を出し、それに基づいて各知事が、住宅ローンのような三十年から五十年前後の長期返済を認める緊急融資を実行させ、返済開始も三年くらいの猶予で据置きにします。さらに親子二代による相続返済も認めて、長期の無利息・無担保の優遇措置で返済させることにするのです。そもそも今回の臨時交付金は地方創生推進交付金の一部から捻出するので返済義務がありません。よって、各自治体が持つ企業に対する助成金や特別融資枠に交付金を併せれば、県の負担が薄まるので、このようなゆるい与信管理の融資も可能になります。そうすれば、多くの国民が公平に身の回りを再建できると思うのです。

ただし、アメリカのサブプライムローンのように、返済ができなくなり焦げつくと不良債権となり、国内の景気にも影響しますので、毎月の給与取得税や県民税などにあらかじめ返済額を乗せておけば、焦げつきの防止にもなります。もちろんそれには、企業に対して、求職の斡旋をして（日本人正規雇用の）再就職の雇用の窓口を広げていくように、指導と雇用推進の助成をしていくのも然りです。

このように、ほんの些細な一時のもらい得感だけで、さらに人によっては「不公平」を感じさせてしまう「給付金」や「補償金」といった一時金は、期間限定的にほどほどにしておき、国から支援対策を受けた国民が、生活や会社、お店などの再建をするため、みんなが公平にかつ平等に国や県からの銀行融資を受け、借金を背負うことにする。そして政府がさらに数十兆円規模の建設国債などを発行して、企業や国民に返済のタネ（生産性のある仕事）を与えてあげる。これが頼りっぱなしにならず、自分の力でも立ち上がろうとする気力に変わり、頑張りやヤル気となるのです。まさしく国と国民が一体となって、世直しに邁進していけるようになるのではないでしょうか？

ただし、これを実行していくには一つだけ条件があります。それは、このような緊急融資対策中は、消費税を三％まで引き下げるか、いっそのこと廃止にするか政府は検討すべきです。なぜなら、意外にも消費税の税収は社会保障費などの社会政策費用に財源として反映していないことが、現代貨幣理論（ＭＭＴ）によって証明されてしまったからです。よって、特にこのコロナ禍では、百害あって一利なしです。少子高齢化における年金給付の持続性にとって、消費税の増税による税収が必要という政府の見解はまったくの嘘です。僕も今まで財源と信じていたので、これからもっと勉強しなければならないと思いました。

そしてどうしても「融資」ではなく、皆がまず「補償」にこだわりたいのなら、これらのコロナ感染拡大問題が終息した後に反省点として検討の余地があるものとしては、ふるさと納税のきっかけとなった政府の地方財政の緊縮策を改善して正した上でなら、という条件がつきますが、やはり「道州制」が急がれるものとして取り上げられるべきではないでしょうか?

僕は、国が全国の企業を休業補償するのではなく、あくまで各自治体が知事の裁量で補償することに賛成です。そのための「自治」であり、その自治体に準ずる企業に補償するのは当然と考えるからです。しかしながら、地方都市を持つ自治体と過疎地域の自治体などの予算に、当然ながら大きな開きが出てきます。そこに補償額の格差が生じることになり、地域が違えど、同じ国内であまりの大きな差は「不公平」とも取られかねません。そこで道州制です。四十七の都道府県を十一の道州に合併するのですから、概ね約五県が一つの州になるわけです。そうなれば地方都市と過疎地が同一州になり、予算の差異性も薄まりますので、全国各地域で、ほぼ公平に補償を受けられることに繋がるのです。

よって、道州制は以前から賛否両論が数多あれど、以上の理由により、僕は従来から賛成派です。

ただし、前述しましたように、政府が地方財政の緊縮政策を解き、十一の道州へ平等に潤沢な予算付けをすることが前提条件になると申し上げておきます。

3．これからの母国に思ふ……
——自衛隊を軍と見なし、災害やウイルスのパンデミック、そして侵攻といった有事の備えとして捉え、理解することができない日本人。

コロナウイルスのクラスターやパンデミックといった集団感染の問題を、元海上保安官・一色正春氏は「感染症対策は安全保障問題だ」とし、国士舘大学特任教授・百地章氏は「憲法改正も視野に緊急事態に備えよ」として、それぞれの題目として、雑誌『正論』で、母国、日本を慮る主張をしました。そしてこれらお二人によるたいへん貴重な主張に、僕が考えることはやはり、自衛隊を軍と為し、所有しなければならない「病院船」の装備充実を早急に図ることだと思うのです。なぜなら、今般の新型コロナウイルスに対する日本の対策を鑑みたとき、僕は世界中に日本の弱点（欠点）をさらけ出してしまったように思うのです。どういうことかと申しますと、日本は、生物・化学兵器による侵攻やテロには、有事（軍事）的「病院船」の装備がないから、ひとたまりもないだろうという推測を持たれたのではないでしょうか？　いわゆる有事（軍事）的ライフラインがそれです。

たとえ今回の新型コロナの問題で、日本の被害が思ったより少なかったとしても、です。なぜなら、もしこれが人工的に作られた「武漢ウイルス」だとしたらどうでしょう？　それが運よく、日本人（東洋人）の体質に弱かったとも、中国が試験的に手加減を施した弱めの菌で、各国の防衛（防疫）能力を測る目的で撒いたとも推測されます。自国民の犠牲者も、世界各国から疑惑を持たれないための覚悟の演出ということも、中国（中共）なら可能です。そしてそのときの初動の対応では、日本はかなり他国と比べても遅れていましたよね。特に隔離政策や国土の閉鎖措置に於いてです。僕に言わせれば、親中派の所業か平和ボケ的行動そのものです。もしこれが本気のＰ４で最も殺傷能力の高い、日本人の体質にも強い感染菌を撒かれていたら……想像するだけで空恐ろしいです。

そのような、防疫という有事におけるライフラインの要にもなる病院船を持たずに、集団感染で横浜港に停泊したダイヤモンド・プリンセス号の乗員・乗客約三七〇〇人を、自衛隊員は本当によく守りましたね。三月十六日の撤収命令までに初期の出動として、成田空港における武漢からの帰国者の一時滞在施設などで活動した隊員を含め、延べ人数で約四九〇〇名の自衛隊員が配置され活動しました。意外と知らない人が多くいらっしゃるようですが、それは、メディアがなぜだか、白い見慣れた救急車や白衣を着た医者ばかり映すからです。そして防疫のお手本となるような完璧な防護服を身にまとった、感染症や生物兵器に対処する「対特殊武器衛生隊」のエリート自衛隊員や、自衛隊専用のアーミーカラーの特別な救急車をほとんど映してくれないのです。彼らは地下鉄サリン事件の教訓から生まれ、配備された特殊部隊です。しかも言うに事欠いて、出動当初は「乗客に不快感や恐怖、病気の不安を与えてはならないから、防護服は着るな」と客船関係者から言われたというのですから呆れました。まるで米国のアクション映画に出てきそうな、わがままな「クソ悪役」のセリフのようで腹が立ちますよね。

この対特殊武器衛生隊は、感染症の知識の豊富さにおいては、そこら辺の医学博士や医療従事者などには歯が立たないような、優秀な医官が自衛隊中央病院にいらっしゃって、その医官の指示によって、忠実にコンプライアンス・マニュアルを遂行しながら訓練していきます。だからこそ、延べ四九〇〇人の隊員の中に、一人も感染者が出ないのです。なぜなら、もし一人でも感染者がでてしまったら、部隊を何班に分けているかはわかりませんが、その班の隊員全員が二週間の隔離を余儀なくされて身動きがたちまちに取れなくなり、「隊の壊滅」を意味するからです。このコンプライアンスは、そもそも武力衝突のときにも必要であり、敵からの攻撃を受けたときの対防衛措置的抗戦時の劣悪な環境下で、重創傷・大火傷などで広がる疫病とも戦わなければならず、自衛隊にとって防疫は重要課題であるのです。したがって各隊員は、「隊員の感染は絶対にあってはならない」という意識レベルがとてつもなく高いのです。ちなみに、任務を終えて感染もない隊員でさえ、停留期間を十四日間とり、二次感染防止に努めたというから、頭が下がります。よくもまあ「乗客のために防護服は着るな」と言えたものです。

それなのに、まるで自衛隊の活躍を映してはならんと言っているような偏向者に忖度しているかのようなメディアの演出は誠に遺憾です。そのくせ、災害被災地の復旧が進み、地域の土木事業者が平常営業に戻れているにもかかわらず、自衛隊にがれき処理をいつまでも要求し続けたり、ライフラインが復旧し、地元の公衆浴場が再開しても入浴支援の継続を求めたりして、まるで自衛隊を「無料の労働力」と勘違いしている自治体が多いそうです。もちろん自衛隊員も、国民の命を救うことにやぶさかではないと思います。しかしながら、そのような災害救助活動中を意図的に狙った戦略で、中国といった諸外国が領土や本土上陸を果たし、抗戦やむなしといった有事が起こった場合、平常時でさえ少ない自衛隊員の人数や戦力がさらに削がれて抗戦も儘ならない状況に陥る可能性もあると言います。よって、言葉が雑で恐縮ですが、用が済んだら、元の任務やオペレーションに速やかに戻すべきなのです。ましてや中国などは、火事場泥棒のように、そのような戦略で侵攻してくることを最も得意としている国だけに、現実的に予測して警戒しなければならないことだとも言われています。

また、日本における、コロナ感染者救護と搬送のオペレーションの開始当初だったダイヤモンド・プリンセス号の一件は、ほとんどが自衛隊と自衛隊中央病院のおかげです。それが証拠に命の救われたドイツ人夫婦から、手厚いこころの感謝の手紙が届いたほどです。

よって、感染症対策は、武力衝突や侵攻といった軍事と同じ程度の有事として捉え、日本では海上自衛隊の管轄で病院船を装備すべきです。そうすれば、生物・化学兵器のテロにも対応できるようになるでしょう。ちなみにもし日本が、米海軍が誇る「マーシー」という大型な病院船と同じ規模の船を一隻でも配備できれば、今回の隔離に必要なベッドを、陸地から離れた場所に「千床」を用意できたことになるのです。よってぜひ二隻は配備していただきたいものです。国民を守るために。件の病院船「マーシー」のお値段は一隻約三百五十億円と言われていますから、二隻七百億円分の防衛費の国債発行を政府にはぜひ、お願いしたいと存じます。払えるでしょ？　純資産のたった〇・〇二％以下なのですから。

そしてこの物理的な弱点とともに、法律的な問題も挙げられますが、最も大きな弱点と弊害として自虐的で偏向な人たちが唱える「偽善な人権」の考え方があり、これらが、いつまで経っても、日本を危機的状況のままにさせている要因とも言えるのです。

たとえば、東京都の新型コロナ感染者数が、前日の十七人から四十一人に跳ね上がったときに、都知事の小池百合子氏が、「不要不急の外出自粛要請」という「緊急事態宣言特別措置法」の一歩手前とも言える重大な要請を発出しました。しかし学生ら子どもたちは、「どこ吹く風か」の如く、要請が出た夜も前日と変わらない人出で、「要請が出ても出掛ける」とうそぶく有様です。その所業に対して一部のマスコミや大人たちは、「けしからん、危機感なさ過ぎ」と非難していました。でも僕は、この現象は仕方ないことだと思っていますし、感染が出始めた一月ごろから、これらのことは予測していました。なぜ、学生ら子どもたちは、言うことを聞かないのでしょうか？　それは、国家や大人たちがそのような教育をしてこなかったからです。しかも一部の大人どもも要請を無視し、自粛していません。でも無理もありません、平和ボケや自己中も、国や親たちが、「それはなりません！」と教えてこなかったから、わかるわけがないのです。それはたとえ、政府が休業補償をしてくれるのか否かがわからないからという理由があったとしても、です。

この外出自粛措置が、最善で適切であったか僕にはわかりません。意見によっては、日本および東南アジアの人種のほうが、白人種よりも重症化しにくく、そのような種類の免疫を持つという医学的な見地から、果たして自粛措置が必要だったのか？　不必要だったなら、そのまま経済活動を続ければよかった、などの意見もあります。

さらに、それ以前に自国民と中国人の出入国渡航禁止の発令を迅速に行えていれば、外出自粛の要請はいらなかったのかな？　とも思いますし、経済（生産）活動も政府は停めたのですから、「完全休業補償」を宣言してから、緊急事態宣言の外出自粛を要請すればよかったとの意見もさまざまあり、分かれるところです。

けれども僕は思うのです。新型のコロナ禍という初めての災害、もしかしたら意図的な中共のテロかも知れないという「有事」における国からの要請なら、大げさ気味に構えるのは必然ですし、国民としてまずは従うべきではないでしょうか？　なぜなら、従わずにバラバラに国民が好き勝手なことをすれば、有事における治安の維持などできる筈などないからです。よって、とりあえず有事の行動は遵守し、そのうえで自分が勤める会社の経営者（個人事業者）と、有給の休業を保険や助成金などの申請で保証してくれるか否かを交渉し、政府にも同様に訴えていくのが、国民としてのあるまじき姿勢だと僕は思います。

テレビ番組で、ハーバード大学出身の優秀なコメンテーターでありタレントでもある「パックン」ことパトリック・ハーラン氏は、「アメリカ人は知事の言うことを聞かないから、国のきつい縛りや強制は必要でしょう。でも日本人はお行儀がいいから言うことを聞くと思うし、要請でも大丈夫ではないでしょうか」と発言しました。日本の番組ということもあり、忖度したか否かはわかりませんが、それは日本人を少し買い被り過ぎです。

たしかに、ダウンタウン辺りには一部の行儀が悪くて、知事の言うことも聞かなそうなアメリカンはいます。日本人も今は、先進国の中では公衆道徳はかなり悪いほうで、アメリカ人を非難する立場ではございませんが、日本に来るアメリカ人旅行者の一部では、日本人以上に行儀の悪い連中を見ることもあり、それはきっと、そのような輩なのでしょう。

しかし、お国の一大事となると全然違います。アメリカは国の有事に対して、国民はどのようにかかわり行動をするべきかといった、母国愛と国民同士の共存共栄がキチンと教育されているということです。よって、自分たちが国や州を守るという気概が日本人より強いのです。産経新聞の住井亨介記者も、「危機に当たっては通常の生活を犠牲にしてでも、大きく構えて対応する米国人のしなやかさに感心する」と、「ポトマック通信」というコラムの中で述べています。

ロックダウンや外出禁止などの発令に背くアメリカ国民は、その多くが見るに堪えがたい粗末で狭い住居で暮らし、発令を遵守しても「密」を回避できず、感染者を生む結果に苦しむ貧困者層や移民たちです。それもアメリカ政府に抗議するために背くので、命がけの主張とも言え、日本の言うことを聞かない人たちの「わがまま」や「自己中」とは種類が違う、もっと真剣で「切実」なものです。それにもかかわらず、そのような諸事情も知らず、日本人は律儀で協力的な国民性だから、欧米のようなきつい発令や罰則がなくても、「お願い」のレベルで大丈夫だと、アメリカ人と対比させて日本人のほうが素晴らしいと賛辞しているようなメディアやニュースキャスターらの論調があまりにも滑稽で呆れてしまいます。このような「事なかれ主義」で悪いことを観て見ぬふりをするから、日本は幼稚化し成長しないのです。したがって、平均以上の生活水準レベルの国民で対比すれば、先述したように、アメリカのほうが「日常の生活を犠牲にしても大きく構えられる」国民が多いと言えます。

それに対して日本は、戦後「個人主義」という自己中心的な教育が多くの国民に施されました。そのような教育により、いつも政府の協力や呼びかけに対して他人事で、自国であり母国であるという自覚が欠如しています。よって、国歌の斉唱にも他人事です。その最たるものとして、アメリカ人はもちろんのこと、諸外国の人たちは、スポーツの国際大会などで金メダルをとると、声高らかにかつ、誇らしげに「国歌」を歌います。ところが日本は、ほんの数年前までは、諸外国が不思議に思うほど、どの種目の選手はおろか誰も歌いませんでした。最も驚いたのは、柔道といった「国技」を極める選手でさえ、表彰式に国家の伴奏が流れているにもかかわらず口をまったく動かさないのには誠にあきれて、僕はその姿を観るたびに、恥ずかしくて、情けなくて仕方ありませんでした。僕はボランティアで、スポーツ（女子）選手を七年くらい指導していたこともあり、インターハイや国体にも引率していきました。技術以外でもたいへん厳しく躾け、育ててきましたが、それに異論を唱えるものや批判をする生徒は一人もいませんでしたし、慕ってくれました。しかし残念ながら、前述した柔道のオリンピック選手を指導してきた監督やコーチは技術習得ばかりの指導で、「おまえたち、国歌は日本人として声高らかに歌ってこい」という躾や教育はされていなかったと言わざるを得ないでしょう。その後、教育基本法の改正で、今ではやっと各種目のスポーツ選手が歌うようになりました。なかでも最近では、フィギュアスケートの日本の宝、紀平梨花さんがいちばんしっかり歌っていました。テレビで顔をアップしたときに、口の動きでわかりました。とても感心します。大学および周りの指導者たちが、とてもよい教育をされているのだなと思いを馳せます。またその教えに従順な彼女も立派です。強くなるはずですよね？

話が逸れてしまいましたが、まあこのような教育の差により、感染拡大阻止の国の自粛要請にも日本人の多くは「他人事」でいられるのです。日本の若者は、香港の民主活動家、周《アグネス・》庭《チョウ》さんをもっと見習いましょう。彼女がいくつだか知っていますよね？　民主主義（資本主義・自由主義）国家の東南アジアの若者は、平和ボケしている場合じゃないのです。

4. 災害や有事における危機管理をさせてくれない日本人の誤った「人権」という壁

また、日本国内のそんな諸事情を知ってか知らずか、欧米の国々の人たちが、花見や夜遊びで、街中に人混みをつくっている日本人の所業をメディアなどで観て、「こんなに世界が危機的状況であるのに、日本人はいったい何をやっているのだ」と非難する声が各地から上がっていたそうですが、これを日本人は世界中の恥さらしと思って、重く受け止めていただきたいのです。偏向人権論者は、権力で人の行動の自由を奪ってはいけないと言います。それに倣って若者らは、何故自粛に従わないのかと質問すれば、「自由にする権利は誰にでもあるでしょ」と答えます。しかし、人に害や迷惑を及ぼし、さらに人命を危機的な状況にする行動を「権利」とは言いませんし、そんな間違った「人権」を与えてはなりません。それは利己主義であり、「自己中」と言います。僕の前著でも申し上げました「自由とは、世の中のルールやマナーを守れる人に初めて与えられるもの」のとおりです。これらの秩序が守られるときに初めて、「人権」や「私権」が成り立つのです。しかも国内どころか、世界的規模の人命の危機に及ぶ有事なら、「遵守」はなおさらです。しかし、若者のこんな意見もありました。高校生くらいの女の子です。「自粛や要請だったら、少しくらいなら遊びに出てもいいかな?　と思っちゃう。どうせなら、命令や禁止にして欲しいなぁ」と……もっともな意見です。僕は、「なぁーんだ、国家はこんなに若くて可愛い女の子に言われちゃっているのかぁ」と率直に思いました。今の日本の「子ども迎合主義」が、必ずしも子どもや若い人たちに受け入れられているとは言えない現実が垣間見えます。この若い女の子の質問に答えましょう。国家は、緊急事態宣言特別措置法という重い有事のときでさえ、「要請」に留まり、国民に発令（禁止）ができないと言います。なぜでしょうか？

それは偏った「人権」の考え方で、こんなに危機的な有事のときでさえ人には自由と権利があるから、多少のリスクがあっても、国家が権力で人の行動を禁止したり命令したりしてはならないと考える人たちに、政府が七十年以上も長い歳月、忖度をしているからです。しかしながら、こんなにゆるいことをしているのは、先進国の中では日本くらいのものですし、むしろこのような有事のときこそ国民に対して最善の行動をとるよう発令するために、国家権力というものがあるのです。

そしてその問題と付随して、ぜひ申し上げておきたいのが、テロ等準備罪を新設する改正組織犯罪処罰法の制定に野党の反対で三度見送られ、なかなか成立できなかったことです。このときに、先進国では日本だけがこの法律の制定がありませんでした。

この問題も、憲法で人の行動に規制することをしてはならないという原則に抵触するからな

ど と、一部の野党らが反対していましたが、ならばテロリストを見つけられずに実行をゆるし、多数の国民の命を失えば誰が責任をとるのか？　僕なら反対論者だと言います。

　テロを実行する人間の人権が、テロの犠牲者となって命を落とした人の人権より守られたり、尊ばれたりすることはあろうはずがないのです。また決してあってはならぬことです。時はオリンピックも近づいてきたせいもあり、もしミュンヘンオリンピックのようなことが起きたらどうなるのかと、野党議員が怖気づいたのでしょう。無事に二〇一七年六月にようやく成立し、東京オリンピック・パラリンピックには間に合わせることができました。国際的有事のときのためにも、この成立は必要不可欠でした。

　また、北朝鮮による拉致被害者問題も然りで、同じことが言えます。戦後、各国のスパイたちが「日本はスパイ天国だ」とバカにしている日本のだらしない国防です。実は北朝鮮による日本人拉致による被害者があれほどの人数にのぼったのも、スパイを野放しにした結果と言われています。政府認定は十七名ですが、ほかにも拉致された可能性がある行方不明者は八百七十五名にのぼります。

　これらの被害は、諸外国では一般的に制定されている法律で、すべての傍受が可能となる「通信傍受法」が、日本では犯罪捜査と認定されたもの以外は傍受ができずにスパイの監視ができないことと、その遠因で「スパイ防止法」を制定できないのが原因です。

戦後日本では長年、朝鮮総連への忖度から北朝鮮を批判することが憚られる空気があったことに加え、「国家権力の監視」「プライバシー侵害」「戦争のできる国への準備」などと左傾化し偏向した一部の勢力に叫ばれ、それらに対する忖度が、「通信傍受法」や「スパイ防止法」の制定の邪魔をしてきました。日本人のくせに、まるでスパイの身内のような発言で腹が立ちますよね。

拉致被害者家族会の方々に代わって言わせていただきます。「バカじゃないの？　政府は。こんなにくだらない忖度のために、九百人もの日本人を北朝鮮に誘拐されたのですか？　国や国民を守るためのスパイの通信傍受よりも、男女の鼻にかかった声で、絵空事や戯言といった恋話や会話のくだらないプライバシーが優先されるのですか？　バカも休み休み言ってくださいね」と、いつもこころの中で慟哭を続けている被害者家族に変わって言ってやりたいです。

被害者を救出できない現状を横田早紀江さんは、「国家の恥」と問いかけますが、僕はそれと同時にスパイ防止法に反対する輩は、「国民の恥」と付け加えます。

いずれにしても、このままの北朝鮮に対する政府の情けない及び腰のままでは、被害者家族会にとっては、「今生の別れ」を突き付けられているのに等しいのです。国家は自分の身内と思って親身に、外交という「行動」の努力に魂を削ってください。お願いします。

僕は、拉致被害者が九百人もいるのに、たった十七人しか認定していないその政府の姿勢こそが、こんなにも拉致被害者の帰国の解決に時間がかかっているものと断じます。なぜなら、通信傍受法とスパイ防止法の法整備が遅れたことが原因と認めたくないという言い訳の態度としてしか思えないからです。

5．国民を守る「発令」という法整備

話は戻りますが、テレビキャスターや評論家さんたちは、自粛を無視する不届き者には目をつむり、自粛を健気《けなげ》に守っている国民をねぎらう思いから、述べたり論じたりしている「日本国民は律儀で協力的だから、発令と言った強制でなくても、要請だけで大丈夫でしょう」という評論もありますが、テレビ向けの言葉であり、決して本当のことではありません。また、たとえそうだとしても、「でしょう」では有事に於いてはまったく通用するものではなく、「国家の発令」と、律義者の国民とは、切り離して検討するべきものと僕は考えます。

母国の有事に国家が権力を行使して国民に発令ができないのは、とても愚かで悲しいことです。なぜなら、今回の伝染病の感染、地震や気象の自然災害、他国による侵攻、生物兵器や化学兵器のテロといった有事に、国家が権力を行使して行動規制を発令しなければ、国民はいっ

たい誰を信じたらいいのでしょうか？　右往左往するか、そこいら辺を通りかかった兄ちゃんの「あっちに逃げたらいいよ」という無責任な情報に命を預けるか賭けるかして行動するしかなくなるのです。そんな事態が起きぬよう、国民を守るためにも国家権力は必要であり、重要であり、発令されたら「遵守」するのが国民としての義務でもあるのです。それらを否定する考えのほうが、僕はおかしいと思います。

そして他にもまだ不備があります。今回の感染症問題を武漢から発症した当初に遡りますと、武漢からの邦人帰国者の検疫検査拒否問題があげられます。

このときは運よく、クラスターは起こらずに済みましたが、この問題も、政府が憲法上の「緊急権」を行使し、発令できるように改正を急ぐべきです。ちなみに、この日本人帰国者の所業をテレビニュースで某女子アナが口を尖らせながら不機嫌そうに報じていました。まるで「こんな大事件のときに検査拒否ですって⁉　信じられなーい！」と言いたげなふくれっ面ぶりでしたが、彼女のまっすぐな性格がよく表れていて好感がもて、思わず笑ってしまいました。この彼女の思いが、拒否者の胸に届いたかは測りかねますが、後日素直に検査に応じたそうです。

話を戻しますが、おそらく軍を持っている国ならば、こんな平和ボケ的なゆるい要請や国民の行動は、決してないでしょう。G8の欧米各国は、強い命令で都市の封鎖や外出禁止・自粛を発令して、国民はそれを遵守しています。それは見回りに出た地元の知事自らが、日本よりははるかに少ないですが、まれに数人の外出した不届き者を見つけては、「そこで何をしているのだ！　はやく家に帰れ！」と一喝している姿をメディアで放送していました。僕はなぜだか、そのシーンにすごく感動して、目頭が熱くなりました。自国民を憂える親父さんといった様子で、誠の政治家の鑑です。こんな知事さん、日本にいますか？

またある州の知事さんは、「若い自己中な連中が友達と集まって飲食店でパーティーをやるなんて情報をつかんだら、私が警察の爆破班を引き連れて乗り込んでやる！」とメディアの前で、意気に燃える口調で訴えていましたが、僕は知事を微笑ましく思い、笑ってしまいました。確かに言葉は乱暴ですが、国や国民に対して、ここまで熱く一生懸命になれる知事さんが果たして日本にいるでしょうか？　これは逆に言えば、言葉とは裏腹の彼の親身とも言える優しさではないでしょうか？

安倍首相や小池都知事、それから僕の地元なので、大野埼玉県知事にも、この諸外国の知事さんのような行動をして欲しいです。

これら諸外国の知事の言葉や行動と、「日本は人権を尊重する国だから個人の自由を尊重します。だから、コロナ感染阻止のための不要不急の外出自粛要請が出ていても、多少の用事なら出てもいいですよ、権力で行動を強制したりしませんよ」……皆さんはどちらが「偽善」に満ちていると思いますか？　もう、おわかりですよね。

ちなみに一見、人当たりが良くて、物分かりが良さそうで、実は後先の事の重大さに無責任なほうが「偽善」です。

しかしながらその後、アメリカをはじめ、ヨーロッパ各地域で、ロックダウンや外出禁止令といった政府の強い発令に抗議するデモも少なからず起きてきたようです。これらは主に低所得者層を中心に生活の我慢の限界から起きているようで、国家の厳しい発令があっても長引けば当然と言えます。しかしだからといって、医療従事者に重労働を強いることになれば迷惑千万の恐れがある、想像力や思いやりのかけらもない自粛無視の日本人の所業が薄まるわけではありません。その所業は、恵まれた日本人のわがまま・自己中が原因で、生活が逼迫し、明日にでも家庭が崩壊し、餓死するかも知れない切羽詰まった世界レベルの貧困層の自粛無視とは異質のものであり、比較の対象になりません。給料格差が五〇倍前後の日本と五〇〇倍以上のアメリカの凄まじい格差社会における違いで、生き死にを賭けた戦いなのです（四月二十七日現在）。日本人は経済成長に於いて長年低迷を続けてはいますが、世界中を見渡せば、まだまだ幸せなのです。大人の読者さんは、メディアなどが自己中な日本人を柔らかく遠回しでかばう風潮には惑わされないようにしてくださいね。

また、「感染したことは悪いことをしたわけではないですから、周りを気にし過ぎず、申し訳なさそうに謝らなくてもいいんですよ」などと、感染者をすべて平等視するような発言を某テレビ局の女性ニューススキャスターがしていましたが、とんでもなく軽率で偽善と受け取られかねない発言です。僕は、自粛無視で「感染しても構わない」とうそぶく人たちが感染した場合には、軽症・重症にかかわらず、診察優先順位の格差をつけるべきだと極論致します。このように発言するキャスターは、利他のこころで人に尽くした結果、感染してしまった患者よりも、パチンコやサーフィンといった身勝手をして感染した患者が、先に診察されたり、貴重な人工呼吸器を独占し続けたりしていいとでも言うのでしょうか？　また、自分や身内の診察が、そのような人たちの後回しにされてもいいのでしょうか？　そんなことが許される国ならば、秩序は崩壊し、無法地帯と同じになりますが、残念ながらその区別や選定する時間もないのでしょうから、不届き者が誠実な人々よりも先に治療を受けて完治したケースも恐らくは実在するのでしょう。そのような理不尽もきっとあるはずと、多くの国民は察していても我慢をしているのです。そのような申し添えを、つい忘れてしまったのかも知れませんが、この女性キャスターが言った言葉は、「正直（律儀）者がバカを見ていい」と言っているのに等しいのです。よって、健全な人々からは誤解と嫌悪を受けるので、どうか、軽はずみでそのようなことは言わないでいただきたいのです。感染した人を思いやるつもりで恰好をつけて発したその言葉は、誠実に尽くした人も不届き者にも、良くも悪くも誤解されて伝わるので、このような言葉は偽善以外の何ものでもなく、初めから何も言わないほうがいいのです。ましてや、そのような原因と結果で大切な身内を死なせてしまった臨床の事象を目の当たりにすれば、人はドラマにあるような、復讐をも辞さない耐え難い憎悪を生むのではないでしょうか？

後述する、メディア・アーティストで、ご自身の会社、ピクシー・ダストテクノロジーズ（株）のＣＥＯであり、筑波大学学長補佐で准教授の落合陽一さんも、七月以降に起こった第二波とも言えるコロナ禍の世相をこう説いています。「最近のコロナ禍では、ルールを守り続ける従順な人が損をするようになってきている。お願いのレベルではなく、不本意だけれども、やはり発令で罰則を強化するような世の中の秩序も大切かなと思う」というような発言をしました。

これは、やはり若くして筑波大で十代・二十代の若者を教えたり、生活を律したりする立場の指導者の言葉だと感心しました。「日本は自由を与えられている国だから、それも仕方のないことでしょ」と言わないことは、特に若い指導者として立派なことだと思います。

「自由とは、世の中のルールとマナーを守れる人に初めて与えられるもの」そのものの思考です。僕は、彼の著書を読んで、きっとそのような考え方の人なのだなと以前から確信していました。いわゆる現代《いま》のクリエイターに多く見られる「なんでもあり」的な考え方とは一線を画していて、「温故知新」をわきまえている、本物のすばらしいクリエイターと称賛いたします。

でも僕は、このことに触れ、つくづく人の抑制とは難しいものだと思いました。それが国民にとって良かれと思って発令したことだとしても、それが強すぎると、協力的だった国民が非協力的になってしまう。しかし日本のように緩くて甘いと不届き者を生み、清浄に時間がかかり過ぎてしまう。その加減が、国を統治していくことの難しさなのでしょうか？

ではなぜ、これら諸外国との温度差、すなわち危機感まるでなしの日本と、デモの前の諸外国の一生懸命さに違いがあるのでしょうか？

それは先ほども申し上げたとおり、軍を持っているか否かの差だと思うのです。軍を持つ国は、たとえ徴兵制がなくても有事には国と国民が一丸となって母国を守るという国民としての不文律を教育されています。だからこそ、感染症の蔓延などの有事の際にも、多くの国民が危機感を持って、日常の生活を犠牲にしてでも臨戦態勢をとれ、国のために一生懸命になれるのです。

それに比べて日本人はどうでしょう。前項でも触れましたが、自分の国のことなのに、まるで他人事のようにしか思ってないように僕の目には映るのですが如何でしょうか？　また、国の有事にも他人事ということは、何か起これば、自衛隊や駐留米軍に助けてもらうか、任せておけばいいと思っているのでしょう。人任せです。つまり、「自分が一人くらい好き勝手をしたって、他の周りの人たちが自粛していれば平気さ」という思考です。

にもかかわらず、どうもメディアは、このような人たちには目をつむる感があり、甘い論調です。「今日も皆さんの協力のおかげで感染者数を下げることができました……」僕には、見て見ぬふりをしているとしか聞こえないです。正しくは、「今日もほぼ多くの方の自粛で感染者数は下がりました。しかしその一方では残念ながら、自粛無視で外出している人もたいへん多いのです。それでも感染者数が減少しているのは、日本の医療とその従事者のおかげによるものであり、私たちはその人たちに負担をかけないように、一人でも多く自粛に従事しましょう」というのが正しいのです。このように言えないのは、発令ではなく発出でも日本は大丈夫と主張したげなような、有事に政府が罰則付きの行動規制（強制権）を行使することに反対をしているような人の反憲法改正の主観によるものとつい勘ぐってしまいます。

僕は、仕事や趣味の関係上、比較的多くの地域の方々とつながりがあり、友人・知人がいます。議員さん方もその一つです。そして自粛中に、メールなどのやりとりで、いろいろな地域の情報も入ってくるのですが、そこで、メディアでは絶対知り得ない、そして映さない実態が見えてくるのです。

皆さんが、テレビで観て知っている自粛に従わない不届き者は、まだほんの一部です。

そしてさらに対比するような効果的な演出で、だーれもいない街中や街並みを映せば、なるほど、人口密度割合七〇～八〇％減は達成できているじゃないかと思いたくもなります。しかし実態は全然違います。各地域の人たちによれば、いるところといないところが偏っているだけで、自粛している人としていない人の割合は、概ね五〇対五〇じゃないかと衝撃的な発言を聞きました。さらに、集まっているところはむしろ平常時よりも混んでいるくらいだと言っています。それは、電車などの公共交通機関を嫌ってマイカーで来るし、緊急事態宣言特別措置法発出中で駐車場が閉鎖されているため路駐で交通渋滞を巻き起こし、大型スーパーや公園付近はクルマと人でごった返していたそうです。それをメディアは懸命に、品行方正な人八〇対呆気者《うつけもの》二〇の対比に演出しないと、憲法に「有事における緊急事態特別措置法の罰則付きの法令（強制）の発令権限」を政府が改正することに賛成する国民を増やしかねないので、それを阻止しようと、必死にそのように見せるのです。なぜなら、今のほとんどのメディアが、そのような潮流だからです。どのような人が黒幕なのかは、皆さんが勉強していけばわかることです。

6．世界一幸せな国、デンマークの日本より厳しい国家の発令

このような母国のことに悩み、コロナ感染の世界を鑑みるとき、日本はデンマークをお手本にしてみたら良いと、僕は思います。

デンマークは世界一「幸せな国」と言われながら軍を持ち、立派に徴兵制という兵役が十八歳からあります。ちなみに「立派に」とは、政府と国民が一体となって国を守ることが熟考できていると推測されるからです。偏向者に余計な揚げ足を取られかねないので、念のための申し添えです。

ではなぜ「幸せな国」なのでしょうか？　それはデンマークの国民に相対的貧困の考え方がなく、国を信じているからに尽きると思います。そうでなければ二五％の消費税を文句も言わず払えるわけがありません。そのかわり企業や富裕層からもしっかり直接税を徴収しており、不公平感は感じていないそうです。また失業者や納税者への分厚い手当てがあり、日常生活の中でもリターンを実感しやすいので、国民は高い税金に納得しているといいます。また、自分が支払った税金を国がどこへ、どのように使ったかをいつも厳しく観ているようです。よって、国政選挙の投票率が八〇％以上と、政治に対する意識の高さもあるのです。そして何よりデンマーク人は、富や金ではなく、精神的なものに幸福感を求めていると、デンマーク在住の日本人のコラムから学びました。

話の前置きが長くなりましたが、このようにデンマークは、国民が国を信頼しているからこそ、今回のコロナの世界的感染拡大に対して政府がメリハリのある厳しい措置を発令しても、国民は従うのです。テレビを観ていて、実に気持ちのよい政府の采配と国民の行動でしたよ。

デンマークはヨーロッパでは二番目の速さで、国内でまだ一人の死者も発生していないうちに、周辺国とは一線を画した制限付きの外出や、九名以下の集会を容認する緩めのロックダウン（都市封鎖）を発令しました。むろん破れば重い罰則が科せられる、日本よりはるかに厳しい処置です。それでも国民はその制限をしっかり守ってきたようで、その甲斐もあり、四月十日時点で、人口五六〇万人に対し、感染者数五八三〇人、死亡者数二三七人で、以降減少傾向に転じました。そこで、長期の都市封鎖で経済が停滞し破綻しかねない事態を重く見た女傑のメッテ・フレデリクセン首相は、四月十五日以降、学校再開やコミュニティーなどの一部開放と、徐々に封鎖を解除しました。しかし、想像以上に公園や広場に、人が堰を切ったように集まってしまいました。僕もメディアでその状況を観ましたが、「大丈夫かな？　これ……」と感じるくらいの人出でした。さすがに政府もまた事態を重く見て、人が集まるところのみを再封鎖しましたが、その再封鎖後の公園や広場の光景を観て、僕はびっくりしました。今度は人っ子ひとりいないのです。その歯切れの良さに、国が権力を発令し、統治するとはまさにこれなりと感心を超え、感動しました。国が「大丈夫だ、よし、封鎖解除！」という宣言をして、久々に公園で嬉しそうに憩う国民。でも、思った以上の人出と混雑で、あわてて国は「危ない、やっぱりだめ、再封鎖！」という訂正の所業の発令。それでも国民は文句を言わず、従い自粛をする。この国家のメリハリのある発令と、それに対して従順に行動する国民が住むデンマークという国を、僕はこころから尊敬し、称賛したいです。

7. 日本は医療のおかげで救われている

それに比べて日本は、あまりにも国家を信用していない人が多すぎるのではないでしょうか？　僕の見立てでは、信用している人は、三〇～四〇％といったところでしょうか？　まあ、今の政府の国民をだましたのに等しい緊縮財政主義の所業ですから、仕方ないのかも知れません。しかし信用されない国家も国家ですが、信用しない国民も国民です。政治に無関心で、選挙にも参加しないのに、政府に対して文句ばかり言うのは少し違うのではないでしょうか？

前述したデンマーク政府の訂正発令が日本で起きたらどうでしょう？　ここぞとばかり、聞くに堪えない悪口雑言のツイートや発言・配信の嵐でしょう。『日本、一億人総幼稚時代』――僕の前著のタイトルの由縁でもあります。

たしかにメディアなどで観て気に入らない政策や政治家もいるし、文句もありましょう。でも、これまで自分の周りのすべてが（特に経済政策など）満足するものでなかったとしても、そこそこでも健康で安全に暮らして生きてこられたのは、親だけのおかげではありません。国からも、いろいろなことを守られ、助けられて生かされてきたのであり、そこに感謝はできないのでしょうか？　健康皆保険制度やポリオ・ＢＣＧなどのいろいろな予防接種、学校制度や各種補助・助成制度、警察機関や居住区の治安維持などなど……助けられてきたことは枚挙に暇がありません。それは、立法・司法・行政といった統治がしっかりとれた国家でないと実現できないのです。ひとりで大きくなった気でいるのは、まさに恩知らずで幼稚な思考です。24時間いつでも蛇口をひねってそのまま水が飲める国は、日本を含めてたったの15ヵ国しかないのです。

そういう国に生まれてこられたことには、ひとまず感謝するこころを持ちましょう。そう思えば、少しは国家を信用する気持ちになりますよね？　世界中を見渡せば、そのような統治や保護政策ができていない国はたくさんあるのですから。

それから、今回の感染拡大阻止の措置や要請に対する不平不満や、政治家たちへの悪口も多く聞こえてきますが、そもそも選挙にも参加せず投票もしない国民に、そんなことを言う資格があるのでしょうか？　それは卑怯です。先ほど述べたデンマークの選挙の投票率を覚えていますか？　八〇％以上ということは、一〇〇％に近い投票率もあるということです。日本は如何でしょうか？　国政では三〇～四〇％、地方選挙においては、二〇～三〇％といった体たらくです。僕の地元の市長さんは、県議会議員の時代から三十有余年、「政治家とは人々の手となり足となり、それに成り代わって国民の代表として議場に登壇し、意見を述べる人のこと」という姿勢で、市民・県民の目線で話を聞いてくれる人です。そして今でもその姿勢に一点の曇りもありません。われわれ国民は、自分の「志」と近い意見を持ち、「よいものは良い」と言える政治家の資質がある立候補者を見つけ、いなければ掘り出し輩出して、できるだけ選挙に参加することも大切なのではないでしょうか？

さてここで話をもとに戻すと、こんな質問が聞こえてきそうです。それは、「でも、他人事のように自分勝手に行動する日本人が、世界的に観ても国内感染者数や死亡率を低い数字で抑えているじゃないか。筆者の言っていることなんて関係ないね」というものです。でもこれは、はっきり言って国民の自粛によるものではありません。日本の医療従事者や関係者が世界よりも優秀だからです。

世界がこぞって「P・C・R検査」、二言目には「P・C・R検査」と右へならえで「のべつ幕無し」的な処置を行った諸外国は、検査場に患者が殺到し、密になることになり、結果的にそれがクラスター現象を引き起こして、感染者数を増やしてしまいました。

これに対して日本は、確かにP・C・R検査を行う窓口が少なかったのは否めないにしても、だからこその現象を冷静に予測し、頑なに軽度・中度・重症をしっかり鑑み、検査必要度優先順位をきちんと見極めてから、P・C・R検査を実施していました。これが院内クラスター感染などを最小限に抑えることに功を奏して世界でも比較的少ない数字を維持していられたのです。薬品や特化した医療には、アメリカ・ドイツ・スイスなどの欧米諸国の後塵を拝することは稀にあっても、総合医療・医学に関してはやはり日本は世界一で、その医療に救われただけです。我々日本人は、そのことにも感謝ですね、幸せな国です（四月三日現在）。

〔ちなみに後日、東京都の感染者数が軒並み上昇したことに鑑み、専門家が「フェーズが変わってきて、次の緊急段階がきたような気がしている。今はP・C・R検査を多くしたほうがよい」という意見に改めました〕

また、今回のコロナの世界的感染を数字で見ると、欧米と東南アジアで、かなりの違いがあるのも否めません。したがって、各国の緊急事態条項の発令をはじめとして、医療体制の充実や緊急体制やP・C・R検査実施数だけでは測れない事実もあります。これには諸説がいろいろとあるようです。なんせ、このP・C・Rを開発した学者自身が、この検査法は感染症や伝染病には確実性がないので、使ってはならないと言っているそうですから、本当だとしたら世界はなにをやっているんでしょうね？

しかし、ここで紹介しておきますが、こんな冷静な意見もあります。角界の人気者だった元小結の名力士、舞の海さんです。僕は、彼がレポートするときの「ぶらり途中下車の旅」が大好きで、ファンの一人です。

彼は産経新聞の相撲「俵論」というご自身のコラムの中で、「インフルエンザの国内年間死者数は間接的なものを含めて約一万人、ちなみに二〇一七～二〇一八年の米国に至っては、六万一千人が亡くなった。治療薬があるにもかかわらず一万人以上の死者が出ているほうが、今回のコロナ騒動よりももっと深刻ではないか？」としたうえで、「肺炎でも日本で年間一〇万人以上なくなっているのに、メディアはそれをつぶさに伝えてきただろうか？　今回のコロナ以上に、何が起こるかわからない突然の原因不明の病にかかることもあると考えれば冷静になれるものだ」と主張しています。確かに、今日（四月六日）現在、国内感染者数は四〇七五名にのぼりますが、日本の総人口の一億二五九五万人という大きい分母に助けられて感染確率は〇・〇〇三二四％と、一〇万人に対して三人の確率に抑えられています。確かにインフルエンザの毎年の罹患数と比較してみれば、彼の言うとおり、騒ぎすぎですよね？　けれども僕は、彼の意見とは少し違い、約一ヵ月前の三月五日時点では、感染確率〇・〇〇〇二五％と、一〇〇万人に対してわずか二・五人でしかなかったのに、〇が一桁消えたスピードの速さ、そしてインフルエンザのように、ワクチンはおろかコロナ専用に治すクスリもないという事実に鑑みれば、毎年のインフルエンザの猛威よりも怖がっていいのではないでしょうか？　僕も騒ぎすぎず、舞の海さんのご指摘も参考にしながら、正しく怖がりたいと思っています。

そして彼はさらに、「各メディアがコロナ問題を煽り、自粛や経済といった国内の滞りを煽れば、国民はそれを世論と勘違いしてしまう。失業者が増えた結果、ウイルスの死者より、自殺者数が上回ったときに誰が責任を取るのか？」と正したうえで、「もしかしたら、このウイルス問題を利用した米中の覇権争いに、なかには経済操作をする者がいるとさえ思えてくる。そのなかで我々は想像力を働かせ、ウイルスの感染だけでなく、経済の衰退も最小限に食い止めなければならない」と述べ、最後に「相撲協会はぜひ、次の夏場所で通常開催に挑戦してほしい。それが突破口になり、他のスポーツ界やイベント業界にも勇気を与えるだろう」としめくくりました。

かなり勇気づけられるコラムであり、彼の洞察力と天性の「論破力」にはいつも感心させられます。しかしながら、これが経済操作で、米中の覇権争いなのかは僕にはわかりません。確かに「これは、うわさされている中共（中国共産党）による人工的につくられた細菌兵器である」という見解や意見も、必死に「それは違います。なぜなら、細菌兵器をつくる場合、自国にダメージが及ばないよう、まずワクチンを充分に開発してからつくるはずなのに、それがないので可能性はまったくない」と火消しに躍起になっている論調が、一般人はともかく政府にも及んでいますから、僕は如何にこの国に「親中派」が多いかがわかりました。信じて疑わない姿に、半ば呆れています。

そうではなく、もしかしたら、ワクチンを開発する前に、研究所の誰かが粗相をして取りこぼしてしまったかも知れないとも考えられます。しかも武漢は、軍事専門家の情報によれば、Ｐ４（最も殺傷能力の高い）生物・化学兵器の開発研究所や工場が併設される地域であるとも言われています。よって、仮に百歩譲って、そのワクチンの準備がなかったとしても、これまでの長い歳月における中国の所業を鑑みれば、「あるかも知れない」という見解を表明し、警戒するのが国民を守る道理であり、日本国政府の正しい姿勢であると思います。

いずれにせよ、中国の息のかかっていない国が黙っているわけがなく、ＷＨＯの幹部を総辞職させて人事を刷新し、コロナが終息して落ち着いたら全貌が明らかになってくるのではないでしょうか？

なにしろ、世界中でこれだけ人が死に、恐慌になりかねない経済の困窮もしているのです。僕はもしかしたら、国際的な調査後、中国の陰謀が確実と世界が判断すれば、中国とどこか数ヵ国間で、戦争とまではいかなくても、小競り合いくらいの有事が起きても不思議はないと思います。

起こらないことを願う反面、ほかの方法で中国を制裁することは必要かも知れません。

ちなみに「ホリエモン」こと、堀江貴文さんもまた、舞の海さんと同じような意見をお持ちです。彼は、この新型コロナが終息しても完全にはなくならないので、インフルエンザのように、いつでもあるように思って我々は永く付き合っていく以外はないとした上で、「だから過剰な外出自粛は人間であることを放棄するようなものなので、経済が崩壊しないレベルで折り合いをつけざるを得ない」とツイッターで配信しました。僕はこの意見にも大賛成です。しかし、若者がすぐに、「んじゃ、なんでもＯＫ」と自分に都合のいいように勘違いして解釈すると、感染爆発も起こり得るので、今は締めたほうがいいです（四月八日現在）。

でも今は若者より、「子どもみたいな大人」どものほうが、自己中（迷惑）外出が多いみたいです……ホント、情けないです（四月二十日現在）。

しかし、前述した「過剰な自粛は反対。インフルエンザのように、コロナウイルスだって、いつでもあるものと考えて憂慮しながら行動し、経済を動かすべし」と主張する舞の海やホリエモンを「不届き者・呆気者」と同じと誤解する人がいると思うので、彼らの名誉のため、声を大にして言います。

「一緒ではない、まったく違う種類の人たちです」

では、どこが違うのでしょうか？　それは一言で言えば、舞の海やホリエモンには「利他のこころ」が前提にあるのに対し、不届き者らは我慢ができないという、単なる自己中が前提になっている点です。そこに大きな開きがあります。豪傑な彼らは自粛の必要性と経済回復の必要性の両方を鑑み、「最大公約数」で落としどころをつけるべきと主張しているのです。

8．五月六日までじゃなかったの？
――ネガティブシンキングからポジティブシンキングに切り替えるとき。

さて、これまでの緊急事態宣言特別措置法による自粛も、平たく言えば、いかに感染する確率と機会を減らすかというネガティブシンキング的な可能性の追求でした。

けれども残念なことに政府は、「五月七日からの解除はあり得ず一ヵ月の延長」の見解を示し、安倍首相が宣言をしました。これほど長期にわたり五月六日まで自粛させて、さらに一ヵ月も延長するのは、どちらかと言えば慎重派だった僕も如何なものかと思います。

これからは、一億人総貧困化にさせないためにも、経済再生の手段も徐々に考えていくことが大切ではないでしょうか？

数字を見ながら、上昇が止まって感染者実効再生産数が均衡して一・〇以下であれば、無感染で元気な人の割合、感染しない確率、退院して抗体を持った人の数など、今までとは逆側の数字を鑑み、ポジティブシンキング的な可能性を追求して、「解除」という見切り発車を検討する岐路に、日本は立たされているのではないでしょうか？

前述したデンマークのように、「退くときは退く」「進めるときは進める」といったメリハリのある歯切れのいい統治を、そのときこそ日本は見習うべきだったのではないかと思うのです。

しかし日本の場合、もしかしたら政府がメンツを気にして引っ込みがつかなくなってしまったのかも知れません。それは何かと言えば、各国と比べて思ったよりも感染者数を抑制できたので、「予測はずし」と国民に非難されるのを嫌って、解除のタイミングを素直に早めることに抵抗というか、ためらいがあり、ズルズルと遅れてしまったのではないかという見解もあります。なんせ緊急事態宣言発出の自粛要請当初は、クラスターが起これば「八万人の感染」と言っていたくらいですから無理もありません。でもこれが唯一、安倍政権の短所で、そのような見誤りもまったく気にして隠す必要はなく、素直に「予測を多く見過ぎた見解でした」としたうえで、「今後は経済回復のための措置を進めていきます」と認めても良かったのではないでしょうか？（結局、五月二十六日に緊急事態宣言は解除されました）

日本が世界と比較して感染者数を封じ込められた要因は諸説があります。僕はやはり日本の医療従事者の治療体制が、他国と一線を画した「必要な人だけにP・C・R検査を採る方法」で、これにより患者の密集が避けられ、クラスターを最小限に抑えられたことを称賛しつつ挙げたいのですが、ＢＣＧワクチンを接種した国民が多いことや、納豆伝説というものまであります。このことについて、ＳＮＳのツイートで、「でも、そんなものを頼りに自粛や規制をしないって言ったら、国家は馬鹿扱いされてたよ。だからたとえＢＣＧが有効だったと後からわかっても、あのときはハッキリしていなかったという言い訳は通用するし、専門家も政治家も知らなかったということで胸を張ればいい」と政府の措置を擁護するような、有り難い若い女性の投稿もありました。僕もこのツイートにまったく同感です。そもそも初めての病原体であり、未知数なのですから、「大きく構えるしかなかった」と素直に言えばよかったのではないでしょうか？

だから、少しずつでも、速やかに進めればよいと思います。ホリエモンの言うとおり、キャバクラやホストクラブといった最も密からのクラスターが起こりそうな業種などは規制をかけて解除は後回しにして、その他は時間の規制はかけても徐々に解除をしていき、病院などの医療施設や老人ホームや介護施設などは、集団感染が起こらないように細心の注意を払いながら監視の目を緩めずに注視する。さらに保育園・幼稚園を含めた学校関係は、二班（輪番）制にして、まずは各班一日置きの半数密度にして、授業を再開してみる。これらが守られていれば、僕は五月七日から徐々に規制解除していくことは可能だと思うのです。しかし、だからといって自粛に従わずにパチンコやサーフィンをしていた輩が、「ほーら見ろ、大げさな。だから大丈夫って言ったじゃん！」なんていう資格もまた、これっぽっちもないでしょう。やはり、ポトマック通信の住井亭介氏が紹介したアメリカ人のように、緊急の有事には、たとえ日常生活を犠牲にしても、大きく構えて振る舞える器の広さも人間として必要で、これらの行動を日本人は見習うべきです。

さて政府は六月七日以降、今後どのような采配を振るのでしょうか？　お手並み拝見といったところですね。でもできるだけ早期の対策と柔軟な対応が必要とされます。

なぜなら、先ほどの舞の海さんの発言どおり、ほんとうに感染による死亡者数を、経営破綻・生活破綻による自殺者数が上回ったら、誰が責任をとるのでしょうか？　しかもこのような事象は、ボディーブローのように、少しずつ長い歳月をかけて効き続ける可能性もあります。

第二波・第三波はあって当たり前と捉え、現状を進めてみる勇気を、ぜひとも持っていただきたいです。

9．世界に通ずる「日本力」を身につける
――日本は文武両道たれ。

話は戻って、先ほどの世界一の日本の医療の続きです。

さて、そんな幸せな国でも僕は、今回の世界的規模の新型コロナ感染拡大問題が終息を迎え、世界が日常的な正常を取り戻したとしても、日本が海外旅行者のインバウンド収益を有事の前の数字に戻しそれを超えていくのは、たいへんな歳月を要するか、もしかしたら逆に、しばらく低迷が続くのではないかと推測しています。それはなぜかと言えば、今回の新型コロナの世界的有事に各国メディアが映した日本人の平和ボケした非協力的な行動に不信感をもち、訪日してくれなくなるのではないかと、ふと思うのです。「こんなに危機感がない国で、何か有事に巻き込まれたら、たいへん」と……それがたとえ、世界的に観て感染者数を抑えられていたとしても、です。なぜならそれは、日本国政府の統治力によるものではなくて、偶然やまぐれと思っている外国人も多く、だから「奇跡！」とか「不思議！」と言われているのです。決して称賛だけではありません。諸外国の人の目はふし穴ではないのです。たとえば、国民に毅然とした姿勢で、有事のときの強い「発令」ができないこの日本で、もし大地震や津波、大洪水といった災害や、大規模なテロなどの有事が起こったとしたら、訪日外国人旅行者はどのように思うのでしょうか？　強制権を持つ「発令」ではなく、せいぜい「避難指示」だとしたら、皆が一斉に同じ方向に行動することはなく、右に行く人あれば左へ行く人もあり、はたまた東に行く人あれば西に行く人もありで、「東奔西走」のパニック的な人の流れがあるかも知れないこの国で、いったい誰を信用して動けば良いのか？　きっと外国人は不安に思うのではないでしょうか？

「津波は西方から来ているので、東方の高台へ進め。もしこの避難指示の発令に従わぬ者、または他人を惑わす方向に進んだり、誤った方向に導いた者が結果的に他人を被災させたり、死亡に至らしめたりすれば、すなわちこれを罰する」

このような毅然とした発令を国民に言えないで何が国家でしょうか？　果たして日本は、今後の未来に起こり得る有事や国難を前に、今のままで国民を守り、乗り切ることができるでしょうか？


だから僕は思うのです。「軍」と呼ぶものを置くことに、どうしても抵抗があるのなら、せめて憲法を改正して現在の自衛隊に軍としての機能を限りなく持たせるとしっかり明記させるのです。そして国民にも、有事のときの母国の守り方や行動のあり方、政府の指示や発令の遵守などを小学生から教育を行うと定めたとき、僕は初めて日本が、「軍事力」をもつ諸外国との外交の檜舞台で対等に渡り合える国になれると思うのです。

また自衛隊の高い防疫力も国民として見習うことも多く、憲法に自衛隊の存在をきちんと明記させて、感染症対策や救急救命処置などの学びを受けられる講習会や研修会に隊員らを講師として招き、特に若い人たちへの義務教育にするべきだと僕は考えます。

さて、皆さんはどのようにお考えでしょうか？

ちなみに、話を少し前に戻しますが、日本とは別の方法で、うまくコロナ感染を封じ込めたアジアの国々として、韓国やシンガポール、台湾が挙げられます。

韓国の「韓国製検査診断キット」にどれだけの信頼性があるかはわかりません。しかしながら、韓国内でまだ一人の感染者が出ていないときにすでに企業にこのキットを開発させ、さらにこれを通常では一年半かかる許可審査を、政府に「緊急使用承認制」を発動させ、わずか二週間で許可させました。すばらしい発令とスピードです。そして感染有無の判定が四〜六時間でできるこの診断キットを頼りに、自宅に自ら出向く「移動検診」のほか、「ドライブスルー式」や「ウォークスルー式」などの速やかな検査方式を導入し、感染者の移動経路の徹底追跡もしました。そして二〇二〇年四月四日現在で、四十五万人以上が検査を受けることができたそうです。

その努力の甲斐もあり、一時は感染者数一万人を突破しましたが、二〇二〇年四月末日時点では約六千人前後が完治し、日本がどんどん上昇しているこの時期に、鈍化（下落）を続けているというから立派です。

シンガポールでは、政府の強制権のある「中国からの帰国者の入国禁止」を二月一日という、世界に先駆けたとも言える早い水際対策を講じ、さらに国内では違反者には罰則付きの「三密禁止令」を発令し、強い政府の発信力が功を奏して、欧米よりはるかに感染者数を抑え込んでいます。

台湾では、「先手防疫」で先制的に新型コロナ対策をして封じました。蔡英文総統と政権は、シンガポールよりもさらに早い一月に中国での感染拡大に迅速に対応し、いち早く自国民と中国人との出入国禁止という人的往来阻止を発動しました。その早めの対策が功を奏し、感染者数もかなり低く抑えられて、国内にも余裕があることから、マスクや医療物資の増産を決めて、世界各地に供給して国際社会に貢献していきたいと声明を発信しました。もともと総統としても孤高で優秀な彼女ですが、んもぉー「女神さま」のようです。

僕は、これらのアジアの国々をすばらしく立派に思い、称賛致します。

さて、日本とどこが違うのでしょうか？　それは「平和ボケ」の風潮がいっさいなく、各国とも、日本が言うところの政府の「緊急権」を行使し、「発令」しているということです。

日本もおおいに見習うべきではないでしょうか？（四月二十四日現在）しかし、新型コロナウイルス抑え込みの優等生とも言われたシンガポールですが、その後、経済成長を支えてきた外国人労働者らが第二波のクラスター感染に見舞われ、一万一二七八人と、東南アジア最多の数字を記録してしまいました。これは低所得者層や貧困層の宿命的な狭い生活環境下で密の生活をせざるを得ないことが要因の一つとも考えられます。それに加え、順調な体制に少し自粛が緩んだのでしょうか？

またもう一つ、見習い、そして遵守すべき「ことば」もあります。イギリスのエリザベス女王の一九五二年の即位後、五回目となるテレビ演説のおことばの一節です。

「私たちが強い決意で団結すれば、この病は克服できる。すべての国の国民が、この困難にどう対処したか、数年後に誇りを持てることを望んでいる」

我々日本人は、この女王のおことばの重みを理解し、胸に刻んでおく必要があります。

少なくとも今日現在においては、たいへん厳しいことを申し上げますが、韓国・シンガポール・台湾に負けています。何が負けているかですって？　それは「誇りの持てる」行動のできる国民の数です（四月二十五日現在）。

おそらく、メディアに惑わされない人が多い僕の読者さんなら、頷いていただける方々がほとんどだと思います。

結論を申し上げれば、有事のときに、国民の命を守る行動の指示をする国家の発令（発動）のまえに、わがままや自己中を増長させるような、誤った「人権」のほうが先立ち、優先されるようなことは決してないのです。またあってはならぬものです。よって、これら緊急事態条項の不備とも言える憲法上の緊急権（守るための強制力）についても、先ほど触れました自衛隊の明記と併せて、積極的に議論を進めていくことが急がれると思うのです。自粛を促す厳しい人たちを「自粛警察」と皮肉ったり、非難したりしている人たちやメディアがありました。確かに行き過ぎた人もいましたが、ではなぜ、自粛を守るのか？　その人たちの意見を聞いてみたことがありますか？　と僕は申し上げたいのですが、さて皆さんはどのようにお考えでしょうか？

10．自給自足率をあげ、諸外国への依存度を減らす
――豆タンクな日本になるために。

率直に申し上げて、チャイナマネーに委ねる日本経済は、日本そのものを弱くする要因になるということです。覇権主義、中国共産党（中共）に対して、発言力をなくし、いずれ尖閣諸島にも「日本の領土」という発信ができなくなる恐れがあるということです。

日本が中国に忖度するのはなぜでしょうか？　特に今回の問題の一つになっているのが、中国人渡航者の空港での入国規制です。この処置が遅れたため、日本の感染者数が増えたという見解もあります。それは観光立国といった「付け焼き刃」的な他国頼みのインバウンド効果を狙った、日本の経済政策の弱点が現れています。その中でも需要トップの中国にすっかり媚び諂い、「機嫌を損ねるといけないから良きに計らえ」の日本の国家や国民、マスコミの姿勢です。中国人への入国規制は、武漢の集団発生の情報時に速やかな政府からの発令が必要でしたし、どんなに遅くとも「札幌雪まつり」の前にすべきでした。なぜ、北海道が「クラスター」を起こしたか皆さんはもうご存知ですよね？

そしてこれからは、「観光立国」という「他力本願」の経済政策はそこそこにしておき、世界的有事のときに、供給が意図的に止められても大丈夫なように、特に食料や工業製品の自給自足率を上げ、さらに中国や諸外国に「買っていただく」のではなく、購買意欲をそそりそうな日本国産の質の良いものをつくり、「売ってあげる」逆供給の姿勢をとれるようにするべきときなのです。そのためには、日本の産業は自給自足に強い体制を整えておかなくてはならない。それには、政府が国債を発行して国内設備投資を促し、生産性を増やします。これで適度の景気回復になると、家庭や企業にも収入が増え始め、需要を促していきます。そしてやがて供給不足になったとき、生産品や物に希少性などの価値が付き始め、ここで初めてデフレからインフレへの逆転のきっかけが整います。そのときに「インフレーション」を起こす準備を進めておき、さらに物価を上げていけば、移民や外国人労働者を頼らなくても、国内労働力の就業だけで国内生産・製造ができる道が開かれ、その対価に見合う実質賃金も上昇し、人件費や給料も充分に払っていけるようになります。それが「豆タンクな日本」を創ることと思うのですが、如何でしょうか？　さらにそのためには、良質でおいしい農作物から畜産物・食料品や、品質の良いあらゆる生産品・工業製品などのものづくりの生産者や職人といったいわゆるブルーカラーに優秀な人材を育てて配置させるのです。そして首相をリーダーとして、ホワイトカラーの人たちには世界的なマーケティングをしていただき、日本の全生産品を広くPRするのです。それには関税をかけられても、「高くてもメイド・イン・ジャパンがいい」と世界が認めてくれるよう、品質を究極なまでに高めていくことも重要でしょう。でも、もっと大切なことがあります。それは国内のものづくりの企業間（同業他社同士）で、あまり無理な価格競争をさせないことです。なぜなら、せっかく物の「価値」を上げてインフレを起こしても、無理な競争が生じると物の「価格」を下げてしまい、結局はデフレ→製品価値の低下→人件費（給料）の低下と元の木阿弥で、良い製品がつくれなくなってしまうからです。特に入札時における最低落札価格を常に適正にしておくべきですし、そしてこれがいちばんの問題なのですが、

「ダンピングメーカー」を厳しく取り締まることが何よりも重要となります。そのためには、それを優遇し、取引する企業や自治体も同罪とするべきです。それには監視を強化し、きびしい罰則規定を設けることも必要とされます。

どこの業界にも必ずダンピングメーカーはいるものです。なぜでしょうか？　それは、自分の会社だけが独り勝ちをしたいという自己中があるからです。でもこれら自己中な企業が存在する限り、日本の経済再生は、いつになっても良くなっていかないのです。

もちろん、悪質な談合が良くないことは承知しています。けれども、業界の製品価値・製品単価を守るための「暗黙の了解」もまた、必要なことなのです。なぜならそれは、その業界で働く人たちの人件費を守ることでもあり、ひいては、デフレ不況や不景気を招かぬためでもあるからです。よって、公取委の方々は、ぜひそのことを理解して、胸にとどめておいていただきたいのです。

もう一度言います。インフレで物の価値を上げていくことは、日本人の労働力に適正な賃金を支払うために必要なことなのです。しかし、企業取引や人というものは、普通、同じ買い物ならば、「安い物」を選び購入しようとします。それは少しでも得をしたいからなのですが、そこが難しいところなのです。つまり、目先の得を考えて、「安い物」ばかり選ぶと高いものが売れなくなり、デフレとなって、結果的に自分の仕事の価値や給料まで下げてしまいます。

それとは逆に、良い物なら「高くても買う」という消費行動を心がければ、物価や自分の給料も守っていけるという理屈が経済にはあるから、そのさじ加減が難しいのです。でも、それこそが「金は天下の回り物」の最たる由縁なのです。なぜなら、生産業者の供給品数量や額を需要者の発注や購入量が上回れば生産品の希少価値が高まり、「高付加価値」を生むので、インフレを長く持続させることができるからです。

ですから、皆さんにはなるべく、この消費行動をできる範囲で意識していただきたいのです。また有事のときに、最重要で必要になってくる農業を守り、生産品の自給自足の復活も促進させます（麦・大豆・とうもろこしなど）。

「高い、買わない、選ばない」が極端になれば、日本の経済は滞り、労働力をますます発展途上国に委ねていかねばならない「超空洞化労働力社会」が現実になってしまいます。

よって、国民の皆さんで協力し合い、支えていきましょう。

豆タンクなブルーカラーとホワイトカラーで、世界に「世界一」を配信するのです。

第二章　地球温暖化と建設国債と、そして国土整備へ

1．ある発明が地球温暖化対策に貢献した？

地球温暖化と言われるようになってから、もう随分と久しくなりましたね。長年にわたりCO2（二酸化炭素）を日本では高度経済成長による産業の経済活動とともに増やしてきました。また世界では、技術革新による産業の大変革（産業革命）と大量生産とともに、それらの工場の生産活動で排出し続けたことによる大気中のCO2高濃度化も、主にその大気汚染の原因だと言われています。しかし現代（平成の世）より、昭和の時代の大気のほうが、ずっと悪く「汚染」されていたことは、あまり知られていません。そうなのです。今のこの空気のほうが、ずっときれいなのです。なぜでしょうか？

僕と同年代の皆さんなら、ほとんどの方が知っていると思いますが、「光化学スモッグ」っ

て聞いたことありませんか？　これは小学校のころの記憶が特に鮮明ですが、各自治体の市民への放送で埼玉なら、「本日、午後一時に、埼玉県南部に、光化学スモッグ注意報が、発令されました。ご家庭の窓を閉め、不必要な外出を控え、目の痛みがありましたら、水で洗いましょう」このようなたいへん大きなボリュームの放送を一度でも聞いたことがおそらくあるでしょう。特に暑い夏の大気汚染がひどいときは、しょっちゅう放送されていました。そのピークは昭和四十七年から四十八年ごろで、現在の発生回数の約二倍にのぼり、近年でも発生はありますが、ずいぶん少なくなりました。光化学スモッグとは、その成分はオキシダントの高濃度によるもので、一番の原因はクルマの有鉛ガソリンの排気ガスと触媒の低性能でしたが、工場の煙突から排出する排気ガス（主に揮発油性）の要因も上げられます。よって、温暖化の直接的原因と言われているゴミ焼却炉が排出するＣＯ２とは、少し種類の違うものですが、「物が燃えた」結果のあとのものと考えれば、光化学スモッグの成分にもＣＯ２が含まれていることは間違いないでしょう。

ではなぜ、信じられないかも知れませんが、今現在の汚そうな空気が澄んでいてきれいなのでしょうか？　それは人間の弛まぬ努力の結晶と言えるでしょう。

まずクルマは有鉛でないと出力（馬力）が出せませんでしたが、技術により無鉛でも馬力が稼げるようになりました。また触媒装置の高性能化により、きれいな排気ガスになりました。

工場の産業排気ガスや、ゴミや火葬場の焼却炉の排煙に関しては、一度焼却して出た排ガス・排煙などを再燃焼機関装置にリターンさせて、さらに高温度でもう一度燃焼します。すると、臭気やCO2がほとんどない、きれいで透明な排ガスを排出できるようになりました。

また、社会というか、企業の習慣とも言える毎日の「この」行いがなくなったことが、何より一番大きいとも言われています。さて、何でしょうか……？　それは会社の焼却炉の使用です。高度経済成長期から僕らの時代は、大手、中小零細企業を問わず、ほとんどの企業が事務所の裏に焼却炉を持っていました。会社の書類を焼かずにゴミとして出したらセキュリティーが保てないからという理由で、必ず五時を過ぎると、総務か庶務のOLさんに、また機密書類なら秘書さんに燃やさせていたものです。日本の企業で、業態としてそのような書類の焼却をしない企業と、大手一社で数十ヵ所の支店や事務所を持つ企業とでプラスマイナスで相殺しても、およそ二百万ヵ所前後はあったと思われますので、一日で使う焼却炉から排出されるCO2は相当な量だったのでしょう。ましてやそれは日本に限ったことではなく、世界中の企業のセキュリティーのスタンダートだったとしたら、地球上の各陸地のおよそ数億ヵ所から「狼煙《のろし》」が上がっているようなものですから、そら恐ろしく煙たそうで、汚れた空気感ですよね。それなので、今は一個人や個人事業者は「焼却炉で勝手に物を焼いてはならない」という法律ができて縛られています。なぜそこまで厳しくする必要があるのかというと、ものを焼くときに焼却温度が低温度であるほどCO2やダイオキシンは多く発生する性質を持っています。よって個人や事務所で持っていそうな性能が悪い小さくて安価な焼却炉ですと、温度が上がりにくく、ゴミがたとえ少量でも、結果的にCO2やダイオキシンの排出量が多くなってしまうからです。具体的に言えば、七〇〇～八〇〇℃で焼くよりも九〇〇～一〇〇〇℃で焼いたほうが排出量を少なく焼却できるのです。

このようなわけで人々は企業の「焼いてなくす」という機密管理の習慣を、空気が汚れない慣習へと努力してきましたが、そのシフトも、あるものの発明で実現可能になったと言っても過言ではありません。それは「シュレッダー」の発明です。明光商会という会社の社長（創業者）さんが開発しました。その社長の永野さんは我が母校、拓殖大学のご出身で僕の大先輩であり、OBとして大学の誇りとも言える人です。一九六〇年にはすでにシュレッダー一号機を生み出していましたが、中小零細企業のすそ野まで浸透してきたのはやはり「バブル期」のころからです。弊社もちょうどこの時期に購入しました。

僕はこのシュレッダーという発明品は、誠に素晴らしい開発だったと思います。平たく言えば、地球温暖化対策や防止に貢献したのも同然で、もしこの機械の開発やひらめきがなかったとしたら、未だ企業の機密管理は、CO2を排出し続けていく処理しかできていなかったとも言えるからです。

2. でも地球温暖化は、CO2排出量が直接的原因ではないという

——とてつもなく大きな自然の力とは何か？

しかしながら地球温暖化も最近は研究が進んでおり、CO2の排出量や、その濃度によるオゾン層の破壊などに「直接的に温暖化の影響力があるとは必ずしも言えない」という論調もあります。それは「地球気候変動論」です。実は僕も『そちら派』です。しかもかなりの長期サイクルの変動で、四百年から五百年と、約五世紀をかけてゆっくりと流れてくる気候変動です。

「この時代って寒冷期で、夏でも気温が低くて、朝晩はすごく寒かったらしいよ」一家の団欒で、明智光秀が主役の大河ドラマ「麒麟がくる」を観ながら教えてくれた息子の言葉です。まだ城の床が板の間だった時代だから、ドラマのその描写に僕が「夏は足が冷たくて気持ちよさそうだねぇー」と言ったあとに答えてくれたその言葉には、「そんなのんきな夏ではないくらい寒冷期だったんだよ」と言いたげな気持ちを含んだ攻め口調に感じられたので、「へぇー。古文書や歴史書に書いてあったの？」と聞き返したら、どうやらそのような当時の文献や記録のようなものがあるらしいのです。息子は歴史が大好きで、三国志や室町から江戸時代辺りにかけては、下手な歴史の先生を凌ぐくらい深く知っています。名前も聞いたことのない、いわ

ゆるマイナーな戦国武将もたくさん知っているから、いつも「だーれ、それ？」と言ってしまうのが僕の常套句です。

さて、この息子が教えてくれた戦国時代が、今とは逆の「寒冷期」だったことは史実からも窺えます。たとえば、室町時代のいくつもの乱や、戦国時代は、そもそも寒冷期によって農作物が採れず、米や食料の調達が困難で、極端な飢饉に陥ったことによるところにも、その原因があるらしいということです。また夏でも板の間で足が冷えて寒かったことから、後の世に「畳《たたみ》」というものが発明されて、江戸時代の城などに敷かれ、一気に文化の華が咲いたと容易に想像できるのです。

そもそも太陽とは、固体ではなく、ガスの塊です。そのせいで、実は地球の寿命が決まってしまっているのです。なぜなら、約四十五億年から四十六億年後に太陽は、気体だったという証拠を見せつけるようにして水素を使い果たして大膨張し、地球はそれに飲み込まれて焼き尽くされてしまうというショッキングな運命を背負っているからです。太陽はガスを燃やしている星ですから当然変動も起こります。僕の調べによりますと、諸説が飛び交いますが、息子の歴史の知識と勉強や史実書が正しく、「麒麟がくる」の時代、つまり室町から戦国時代辺りは寒かったという証言から最も正しいと推測される説を述べますと、西暦元年〜二〇二〇年の過去を鑑み、およそ七世紀ごろまで極端な太陽活動の低下、すなわち寒冷期があり、その後、八世紀から十三世紀にかけて、現在と同じように太陽の活動が活発な時期がありました。すなわちこれが前時代の「地球温暖化」です。時代で言えば、奈良時代から鎌倉時代後期くらいですね。その後、寒冷と温暖の中間的な十四世紀を経て、それから十五から十九世紀にかけて再び太陽の活動が低下して寒冷期を迎えました。これが室町時代から明治時代辺りですが、その中でも室町~江戸初期くらいまでが、シュペーラー極小期などの影響もあり、最も寒かった時期と言われています（『はじめての三国志』引用）。そして、二十世紀からおよそ百二十年間の時を経て、私たちが生きる時代にようやく辿り着きますが、つまり二十一世紀の今は、気候変動論的サイクルで言えば、まさに温暖化の只中にいるわけです。前述した五百年という、五世紀にわたる気候変動サイクルのうち、中間的な気候となる一世紀分を差し引いたとしても、二十四世紀すなわち西暦二三〇〇年代までは、この温暖化は、たとえどんな環境のアプローチからCO2の削減を試みたとしても、残念ながら続くということです。しかしもちろん、活動が変動する太陽ですから、過去の寒冷期の間にも、おそらく数十年を幾回に分けた単位で温暖な気候の年もありましたし、逆に温暖化の間にも、前時代・現代同様に、数十年を分けた単位で寒冷で涼しい年もあるようです。そう言えば私たちが若い時代に、冷夏でエアコンの売れ行きが不調になり、「家電不況」といった不景気が何回かあったことが記憶の片隅にありますよね？

確か、かき氷やアイスクリームといった菓子メーカーにも深刻な被害が出たほどの年もありました。

これがつまり、一般的に言われている温暖化の時代なら、今、申し上げました「冷夏」や「厳冬」のことでしょうし、寒冷期の時代なら「酷暑」や「暖冬」のことだと思います。これらの不規則が諸説の飛び交う原因でもあるのです。

さて、このようなことから、僕は現在の地球温暖化問題の九〇％以上は、約五百年（五世紀）周期の気候変動サイクルによるものだと考えます。そして排出量過多によるＣＯ２の高濃度による原因は恐らく、一〇％以下くらいの遠因程度のものだと思います。

以上のことを踏まえますと、よく「観測史上」最高だの最低だのと、気温や雨量や大災害といった皆さんを脅かす記録も、まったくあてにならないものだということがわかりますよね？そのような観測史上はせいぜい五十年から七十年前程度の記録に過ぎず、五百年の気候変動を十分割にした中の最も新しい区分の数字に過ぎないのであり、それ以前の時代にきっと、古文書や史実文書の記録を探しても見当たらない（そもそも、機械がなく測れないので数値化できない）ような、もの凄く甚大な気候や災害があったはずで、今の時代を生きる我々が知らないだけです。

「じゃあ、今やっている削減や環境の取り組みは、無意味だから何もしないでいいの？」という疑問も聞こえてきそうですが、決してそんなことはありません。やはりそれじゃいけないと思うんですね。五百年の間に、果たして最高気温や最低気温のピークというものが存在するのか？　そしてあるとしたら、いつピークを迎えるのか？　やはり一般的な曲線を描き、真ん中にピークがあるのか？　など、さまざまな疑問が生まれます。しかしもし、真ん中にピークがあるとするならば、単純に数字で表すと、二一五〇年ごろにピークが来る計算になり、その年まで、夏の最高気温の上昇や世界の年平均気温も上昇する可能性があります。その最悪の事態を想定した場合、一〇％の遠因でしかないＣＯ２の環境問題とて、人類が自分たちの住む環境の危機と類推するのなら、年平均気温を〇・一℃でも〇・二℃でも下げていくような積み重ねの努力は必要なものだと思います。ただ僕は、宇宙での太陽と地球のしくみを理解し、それに対する人類の道理を冷静に受け止めて、気候変動と向き合っていかなくてはいけないと考えています。

すなわちこれが、四千五百年間の太陽の活動に影響を受けた地球を鑑みる学術と研究の所見です。これらは歴史的文献もあり、専門的学問もあるのですから、信憑性も説得力もあります。よって人間は、温暖化の時代か寒冷期の時代かのどちらか一つの変動の中でしか生きられないうえに、さらに自分のご先祖さんを七代から八代つなげても、時期によっては同じ温暖期か寒冷期の中でしか存在し得ないのですから、天文学的宇宙規模で考えれば誠にはかない命ですよね。五百年で光が進む距離、五百光年（四七三〇兆二六四一億七五〇〇万㎞）なんて宇宙ではほんのわずかな距離と時間でしかないのです。ちなみに宇宙の果てまでの距離、つまり宇宙の歴史の始まりは百三十八億光年とも言われています。

よって、そのような数字から鑑みますと、中間（中立）的気候の一世紀に生きられた人間は、本当に運のいい人間ということになります。輪廻転生がこの世にあるのなら、皆さん、良いことをして死にましょうね。きっとサムシング・グレートが、その一世紀にいざなってくれるに違いありません。

しかしながら、その温暖化をことさら大げさに煽り、ビジネスなら聞こえはよくても、たくさんの金儲けに利用し、企む輩がいることも、気をつけていかねばならず、この「気候変動論」が頭の中にあって思い出すことができれば冷静になれるものであり、騙されずにすむかも知れませんね。太陽と地球に与えられている運命的な自然変動の前では、ジタバタしても何も始まらないのです。

船井研究所の船井幸雄先生が著された名著『法則――時流を読む・未来を読む』に「人は、宇宙から与えられている自然の摂理を信じ、地球を愛することです」と書かれましたが、今、正に当てはまる名言と言えましょう。夏のうんざりするほど続く酷暑日や、異常気象による大雨・洪水、そして台風の大型化など、このいつまで続くのか、定かではない地球温暖化の時代に生まれてきて「運が悪かったなぁ」と嘆く人は少なくないかも知れません。そのとおりです。残念ながら、今を生きている僕らは、五百年の長いサイクルの気候変動からは逃れることはできず、一生を温暖化の中で生きることは避けられないでしょう。

でも、我々人間が宇宙から与えられている自然の摂理を思い出してみましょう。まず、なんといっても太陽の恵みです。人は太陽がなければ生きられず、また太陽が生まれたから人間も誕生したのです。太陽がなかったら、マイナス二〇〇℃前後の地球に僕ら人間は存在し得ないのです。それから食べ物も太陽の恵みです。太陽がなかったら動植物は一切育たず、やはり僕らは生きられないでしょう。枚挙に暇がありませんが、そして地球です。この星も宇宙が生んでくださったことに違いはありません。そしてこの地球に動植物をはじめ人類が誕生したのは酸素があったからです。しかしこの酸素も、オゾン層がなかったら溜めておくことができないのですが、地球が海や川などの水を持ってくれたおかげで、溜めておくことができました。なぜならオゾン層がまだなかった地球は、陸は紫外線が強すぎて生物が住めなかったので、生命の誕生はまず、シアノバクテリアや緑藻類といった水中生物から始まります。そして水中植物による光合成です。水中で繁殖した緑藻類が光合成を繰り返し、三十億年以上の歳月をかけて空気中に酸素をつくり続けて、大気圏に紫外線を和らげるしっかりとしたオゾン層を形成することができました。そうしてやっと生命が住める環境が整い、生物は地上に進出してきました。このように「育み」ともいうべき宇宙の自然の摂理によって、僕ら人類の祖先は生まれることができたのです。

また、地球の自転も、僕らをはじめ、動植物に与えてくれた宇宙の摂理に違いないのです。二十四時間かけて一周し、昼夜をつくってくれるからこそ、我々人類だけでなく、生命の授かる生物すべてに生きるリズムを与えてくれているのです。そしてこの自転こそが、どのように考えても神の仕業としか思えないほどの地球上に住む生物すべてに平等で合理的な摂理として存在します。それは自転によって、地球上に住むすべての生物に太陽による恵みが与えられているということです。こんなに生物にとって素晴らしいシステムがサムシング・グレートの神々以外の仕業（摂理）の他に存在するでしょうか？　もし地球が自転しなかったら、太陽が当たり続ける場所も当たらない場所も両方、生物のほとんどが枯渇することは明白であり、少なくとも人類が住める星にはならなかった。僕はそう思います。

つい、話が長くなってしまいましたが、このような理由（道理）により、五百年の長いサイクルで「温」「寒」の気候変動を繰り返す、人類にとって厄介なこの摂理があったとしても、それでもまだ余りある「恩恵」の摂理を与えられているので、すべてを受け入れて地球を愛すると船井先生は仰っているのだと思いました。

ではなぜ、人類にとって、かなり厳しい試練ともなり得るこの五百年サイクルの気候変動のシステムを、わざわざ宇宙は太陽につくったのでしょうか？　僕は、それはやはり我々人類にはわからない「理由」があるのだと思います。でもそれは人間の頭脳を以てしても未だ解明ができていない「未知」なことかも知れません。宇宙（神）のほうが一枚上手ということです。その理由とはもしかしたら、それはやはり人類に与えた「試練」なのかも知れません。地球上で生物の最上位に立つ人類が、その他の生物に対して「驕り高ぶる」ことのないように試練を与えれば、それを守るように一生懸命に努力をすると、神は考えたのではないでしょうか？そのために、気候にメリハリをつけたとも言えます。

またはもしかしたら、人類のために、太陽の寿命を一億年でも二億年でも延命させるための処置を施してくれたのかも知れません。

つまり太陽が常に一定の強さで燃え続ければ水素が底をつき、太陽も地球も寿命を縮めてしまうのではないでしょうか？　それよりも温暖化を伴う「活発期」と、寒冷化を伴い、太陽を休ませるような「極小期」を繰り返すことのほうが、太陽が長持ちすることに神様は気がついた、と考えることもできるのではないでしょうか？　これらのことを想像し、思い馳せれば、太陽や地球に対して、慈しみ深くなれるのではないでしょうか？

さて、先ほど申し上げましたとおり、今の世が気候変動の温暖化時期の只中にあり、ピークがまだはるか百年以上も先にあるのだとすれば、もう一つ避けて通れない早急《さっきゅう》に対策していくべき問題がありますよね……温暖化に起因する、台風の大型化と超爆弾低気圧の線状降水帯などによる洪水や河川の氾濫などによる豪雨災害問題です。

その方法として、大きく分けると、僕は二つの方向から防災されるべきことかなと思います。

まず一つ、日本の国土の海抜を人工的に上げていく方法として「盛土」があげられます。ニュースなどで各地の被害状況から概ねの推測をしますと、平均五ｍくらいの盛土を施せば、二階に非難をすればほとんどの家庭で人命の被害が回避されるのではないでしょうか？　これらの工事は気の遠くなるような誠に地道な工事であり、「素人が簡単に言うなよ」と叱られそうですが、あえて袋叩きを覚悟で述べているのですし、ピークが百年以上も先にあり、二十四世紀初頭まで温暖化が続くと予測されるのであれば、まずは危険区域優先で盛土を始め、以後は人口密度における世帯数にもよりますが、概ね三十年から五十年かけて、国土のすべての土地の平均が海抜五ｍ以下にならないように解消し、嵩上げをしていけばいいのではないでしょうか？　土地の一時的な収用による保証金や代替地などの交渉や区画整理などがあるので、急ピッチに進めても半世紀以上の歳月は軽く必要でしょう。よって、今すぐにでも政府は決断をして着手するべきです。

また土砂災害予測地域では、代替地の補償交渉など、たいへんな時間がかかりますが、少しずつでもいいですから居住区から外して、「住宅建設禁止区域」を明確にしていくべきです。

しかしショッキングなことに、温暖化気候変動による大雨洪水で、河川の氾濫による水害がこれだけ相次いでいるというのに、近年では「浸水想定区域」での人口増加が目立っているというから驚きです。地域防災の博識者の調査によれば、国民の人口の約三割が同区域に住んでいることがわかったそうです。にわかには信じ難いですよね？

高リスク地域の住民に対しては、集団移転を促す制度もあるそうですが、助成金や特別融資枠などの保護政策が不足しているのか、利用は低調で、むしろ不動産業者が提示する安価で容易に土地を確保できる郊外で開発を進めた結果の「浸水想定区域」に人口増加がみられるそうです。専門家は不動産業者に対して、「新規開発の抑制」といった法的な縛りも必要と訴えています。でも僕は、それは不動産業者だけでなく、やはり近年の政府にもその責任はあると思います。

高リスク地域の住民が集団移転制度を使わず、不動産屋さんが勧める安価な「浸水想定区域」を再度選ぶのはなぜでしょうか？　それはやはり、制度で購入する土地より安いからです。

ではなぜ、命を守る選択とも言える大切で安全な居住区をあきらめるのか？　そこが政府の責任です。つまり、実質賃金が二十年以上も下がり続け、大卒平均初任給所得が二十年以上もほぼ横ばいで、GNPがマイナス成長を続けているデフレ不況に対して、政府が愚策と無策を続けているので、「命の安全を保証する土地」の購入を諦めるからです。これは誠に罪深いことです。

話は戻りますが、そのほか、物理的にまたは心情的に、どうしても住宅および居住区の移転が不可能な場合は、最低でも五m以上のスーパー堤防を設備していきます。その際、堤防付近の居住区は、たいへん景観がわるくなってしまいますが、とにかく人命第一が優先されるということで設備せざるを得ないでしょう。可能な限りセットバックさせ、少しでも幅をとって家屋と堤防の間に緑地帯を挟むという工夫をすれば、なんとか我慢をしていただける景観になるのではないでしょうか?

そしてもう一つの方向性から防災の設備を申し上げますと、やはり「ダム建設」とその貯水と放流水量の有効性を最大限に引き出す情報（予測）力ではないでしょうか?

我国のダムは二〇二〇年現在、約一四七〇ヵ所で、多目的（利水・治水）ダム以外では目的の用途が別々にあるらしく、治水用を基本として・発電用・農業用水・上水用などで、それぞれ管理先が違うらしいです。よって今までは、一つひとつ連絡を取り合わなければならず、処置が遅れてしまったことがあるそうです。そこで近年、大雨洪水・氾濫の頻度も高まっていることを鑑み、国が一元管理をして決行を早く行う新方式に切り替えたと、当時の菅官房長官がメディアで伝えていました。この新方式により、南木曽町を襲った爆弾低気圧による大雨のときに、あらかじめダムの事前放流が無事に施され、付近の八ヵ所のダムの合計で、木曽川流域の冠水量を二〇％程度減らせたそうです。数字を見ただけでは、その甲斐があったかはわかりかねますが、避難勧告七十五世帯・二百十人ということですから、最悪の事態は回避できたのではないでしょうか？

現在の予測水準は、一般的な低気圧や台風なら比較的容易になり、台風の進路予測も十五日前から五通りのシミュレーションで予測できるようで、一週間前には完全予測をして事前放流ができるようになったそうです。

前述した一元管理とそれらの技術により、今年以降では、去年の事前放流水量の二倍になる換算であり、その水量は、六十八年に及ぶ工期を費やして、令和二年三月に完成した総貯水容量一億七五〇〇万㎥を誇る「八ッ場ダム」五十個分に相当するそうです。この事前放流の水量と、近年の温暖化による降水量の増加を専門家に検証していただき、その不足分を危険区域周辺に優先して、新たにダムの建設を計画してもよいのではないでしょうか？　現在までの評価と課題として、事前放流が効果を発揮するであろう洪水に対し、実際には放流設備能力の不足により、効果的な事前放流ができないダムもあるので、ダム放流設備の点検や見直しの検討余地があるとも言われています。

しかしながら、日本のダム建設の第一人者であり、元国土交通省河川局長で現在は日本水フォーラム事務局長の竹村公太郎さんは、ダムの建設については、今建設工事中のものが終われば、新しく建設する予定や必要性はないとしています。なぜならダム建設とは、いっぺんに近隣の集落五〇〇~六〇〇戸をなくしたり移転させたり、さらに人のこころの思い出も消し去るという過酷な事業なので、それよりも今後の日本の未来におけるダムのあり方について、既存のダムをいかに合理的かつ効率的に使うかを検討する余地があると述べています。そして、四つの対策を挙げています。

一つめは、ダムの種類の用途（運用）方法を変えて水位をもう少し上げる努力をするということです。

これは、利水用（飲料水や農業用水などの人が使う水の貯水）と治水用（洪水時の貯水や放流のコントロール）の両方を兼ねた多目的なダムは、近年、異常気象によるその降雨量の多さから、かなり貯水を絞っており、一〇〇m級の大型ダムで推移三〇m以下に放流して絞り、耐氾濫や冠水を過度な万全体制でほぼ一年中待ち受けていて、利水用にはたいへん非効率な使い方をしているそうです。昨今では、ＷＲＦの最新天気予測の高度なコンピューターで、一週間前でも放流水量予測は充分に準備可能なので、過度に水位を下げるのはムダなのだそうです。その改善策として、水位をあと一〇ｍ〜一五ｍくらい上げておき、さらに水力発電用の発電機を設備するのです。そして、水位を発電しながら落として（下げて）いき、以後、四五ｍ〜三〇ｍの水位の範囲内で貯水を維持して、発電用に放流を繰り返しながら治水の準備をしておけば、利水も不足せず、まさに「多目的ダム」として有効に利用できるそうです。

二つめは、その水力発電所の増設です。皆さんは意外に思われるかも知れませんが、実は一四七〇ヵ所に及ぶダムのうち、発電用のダムはわずか七〜八％だと竹村さんは惜しんでいます。それはなぜかというと、日本は世界有数のめぐまれた地形であり、多くの山脈によって山麓帯に水が集まりやすく、それが川となって流域を発生し、ダムによって発電のエネルギーに変えられ、電力を生む原動力になっています。それがつまり発電のエネルギーに換えることのできる「集めて厚みをつけて流す」水資源を豊富に持つ国なので、たいへんもったいないことだと、竹村さんは教えてくれました。従いまして全国のダム数のうち三〇％まで水力発電所を増やしたいと述べています。

三つめは、現在既存の中で落差一〇〇ｍ級のダムをあと一〇ｍほど上方に嵩上げをすることです。つまり一一〇ｍのダムにするということなのですが、工事の難易度はともかく、高さをたった一〇m足すだけの数学的マジックで驚くことに、さらに一〇〇m級のダムをもう一つ併設させた分に相当する発電などの能力を確保できると説明しています。つまり実質二倍です。ダムの貯水池の形状は、水底の面積は狭く、上方に向かって広がり水面が広いという「円すい状」の形状です。よって計算上の水量は三三%増に過ぎないのですが、発電量は高さ（落差）が上がった分の余剰による高効率化をするので、二倍で換算できるそうです。すごいですね！

最後の四つめとして、ピーク発電に対応したときに発生した大放流水量の受け皿の設備として、一〇〇m級の大きいダムの下流に三〇m級の小さいダムをつくる計画です。つまり大放流した水が最下部に落下する前に、そこで無駄にならないように一時受け止めて、二十四時間かけて小電力を発電させながら、一番下まで放流させる、まさに二段構えで、ピーク時大電力と平常時小電力のハイブリッド型のダムづくりと言えます。さすがはダムのスペシャリスト竹村公太郎さん、頭が下がります。

さてその他にも、問題はまだあるらしいです。今後の最重要課題として人類の前に立ちはだかっているのが「線状降水帯」であり、その発生の予測が、降雨予測技術（ＷＲＦ）モデルを駆使してもたいへん難しいのだそうです。降って湧いたように発生するからなのでしょう、たいへん悩ましい問題です。熊本県人吉市の甚大なる被害と犠牲者も、ＷＲＦが予測しきれなかった結果なのでしょう。降水量は四十八時間で四四〇㎜、最大四・三mの浸水深さも、もし予測しきっていたのなら犠牲者はもっと減らせたかも知れないと考えると残念で仕方なく、政府としても今後何度も襲ってくるだろうと予測される水害に対して、早急に対策していくべきことなのでしょう。現在、改良型も開発中とのことです。犠牲者の皆様方には改めてご冥福をお祈りいたします。

またこの辺で「ずいぶんと気前がよくて、威勢のいいことを言うけど、どれだけお金がかかると思っているの？　ないでしょ、政府に」という声も聞こえてきそうですが、そんなことまったくありません。そこで「建設国債」の発行なのです。別項で述べましたように、日本国政府は世界一とも言える国家純資産を三七〇兆円ほど持っています。ＰＢ（プライマリー・バランス）という、現場を知らない財務省の机上の絵空事である「財政収支」の数値を黒字化して良く見せるために、緊縮財政の措置を取った結果の貯まった実質利益であり、国民に言わないだけです。なぜなら、実は借金ではない国債を「赤字国債」と名づけ、借金と思わせて予算のないふりをし、デフレ不況脱出の起爆剤となる国債の発行を出し渋り、国民に内需といった生産（仕事）をさせない結果で貯まったお金なので、なんの遠慮がいるものですか。これからの国民のための余剰金とも言えるお金ですので、人命のため、防災のために、どんどん使うべきです。

3．環境にやさしい植物性原料のレジ袋、なぜ必要？「教育」という名の日本の救世主？
——エコ商品よりも必要で大切なもの。

最近ではレジ袋が環境汚染問題のやり玉に挙げられていますが、主に二つの理由があるようです。一つは、ポリプロピレンの成分がゴミとなって焼却処分をされるときに有毒ガスやCO2を発生させ、地球温暖化を増進させて早めてしまうことが懸念されることですが、高温焼却や再燃焼システムの技術により、そのリスクは大部分で下がりました。問題なのはもう一つのほうで、レジ袋をゴミとして最後まで責任を持てない輩が海などに捨てたりするから、海水で化学成分などが溶け出して汚染されたり、それを餌と間違えて食べてしまった魚類や海獣類が死んでしまうことです。レジ袋に限らず、ケミカル商品などのプラスチック容器がゴミとして海岸線に打ち上げられる量のあまりの多さにはあきれて目を覆いたくなりますが、自己中な人間どもの所業です。

これらの問題があって、最近では植物性の原料でビニール袋に似たエコレジ袋を開発して使うそうです。そのレジ袋は紙と同程度のCO2排出量で焼却することができ、お湯にも溶けるので、魚類や海獣類が誤って食べてしまっても、体内で消化されて命の保護もできるということです。

　このように加工技術も進み、環境にも優しく生態系も保護できる便利なエコ商品が開発され、使うことができてめでたし、めでたし……というわけには、僕はやはりいかないと思うのです。なぜなら、それはやはり、所詮は人間のだらしなさの尻ぬぐいに過ぎず、それらの開発やビジネスだけでは、人のためになるものだとは思えないからです。もしこれだけなら、根本的な問題は何ひとつ解決されておらず、人のだらしなさを増長させるだけです。「植物性のエコレジ袋だから置き去りにしても環境にやさしいから安心」と何か勘違いした輩が気楽にゴミを捨てる世の中にならないか懸念してしまいます。これは人間にとって「便利なもの」＝「楽なもの」と考える誤った認識と同等の考え方にもなり、「便利な物」＝「人の役に立つもの」を目指す社会とは対極の世の中になり得るということです。

　故に、そのような環境保護グッズやエコ商品の開発とともに並行して施していくべきはずり「教育」であり、これからの地球温暖化による被害を可能なかぎり阻止していくために対峙していかねばならない人類にとって、その姿勢は必要であり大切なものです。

　そしてさらに極論を申し上げれば、そもそもすべての国民が品行方正にして利他のこころが持てるのなら、このような環境保護の植物性エコレジ袋の有償化など必要性がなくなるのです。

4. MMT（モダン・マネタリー・セオリー）が日本を救う？
――MMTが第二次世界恐慌を阻止するかも知れない。

最後に申し上げますが、日本は約二十年にわたり未だデフレスパイラルの只中にあり、GDPの成長率も、二十年前から現在まで約一・〇～一・二倍という低迷を続けています。つまり、一倍とは変わらないということですから、「成長していない」のです。これを世界の先進国・新興国の推移と比較しますと、中国は別格として、ここ二十年間のGDPは、どこの国も二倍～一五倍は成長しており、「一倍」は、世界でもダントツの最下位だそうです。

このどうしようもない体たらくの日本で、我々はこれからどのような姿勢と修身で国を正していくべきか？　ましてや今のコロナ禍の世の中を観て、現実に少しも後回しにできない状況まで来ていると思います。

僕はこれまで日本は、テロ・紛争・戦争が多発する諸外国を鑑み、この国で生まれたことだけでも幸福に思わなければいけないと思いましたし、前著でもそのように申し上げてきました。なぜなら日本は立法・司法・行政の三権分立を政府が統治し、しっかりとした法治国家であるから、国民がこれほど暮らしやすい国はそう他にはないだろうと思っていたからです。世界を見渡せば、国に政府をおいて治めることを許さない「無政府主義者」を多く持つ国が数多あるのです。よって、そのことだけでも相対的貧困の考え方はやめて、国に感謝するべきとも言いました。その思いに、今も変わりはありません。

けれども、これだけは真実なので、僕がこれから述べることを皆さんも真剣に考えてみて欲しいのです。

それは、政府が約三七〇兆円という世界一の黒字で、国の「純資産」を蓄えていたのに、それを国民に隠し続けるために、赤字負債・借金そして破綻と、国民が豊かな暮らしを諦めるような言葉のプロパガンダによるウソをつき続け、プライマリーバランス（財政収支）の黒字を優先し、景気回復・GDP拡大に必要な財政投融資のための国債発行を二十年以上も出し渋り続けてきました。わずかな発行額も国民に使わず、ほとんどを予備費として政府の財政収支に歳入（戻り入れ）してきました。

なぜなら、国会（政府）に多大な発言力のある財務省（旧大蔵省）には、その官僚たちの間に悪い習慣があり、プライマリー・バランスの黒字化が成績優秀、つまり緊縮財政に貢献したものが立身出世の条件になるからです。そうです。我々国民は、財務省官僚たちの成績と出世のために、不景気な暮らしと生活を何十年もさせられているのです。本来、国の行政を預かる官僚とは、日本のため、国民のため、利他のために公務に励まねばならないのに、「今だけ・

金だけ・自分だけ」です。京大教授の藤井聡先生の言ったとおりの人たちです。

今までは、日本のデフレをはじめGDPの不成長や不景気の原因は、政治家・有識者・官僚などの経済論争に諸説ありましたが、どれも「眉唾物」で、国民へのお茶濁しや意味不明のものが多かったのです。ところが、このコロナ禍による日本国民の経済・生活の破綻を予測していたかのように、少し以前に誠にタイミングが良く、何世紀にもわたるこれまでの経済学は誤りで、これらを基本とする財務省と政府の貨幣感による緊縮財政主義の所業も間違いであるということが明るみに出ました。それは近代経済学者、ケインズの思想と法則から受け継いだMMT（モダン・マネタリー・セオリー）という「現代貨幣理論」が、ニューヨーク州立大学の女傑、ステファニー・ケルトン教授によって台頭し、アメリカ政府の連邦議会で激しい論戦を繰りひろげました。その騒動が世界の経済学者を席捲し始めて、日本のMMT研究第一人者である三橋貴明先生によって解明されたと同時に、正しい経済学と貨幣のしくみがわかってきました。三橋先生が十年も前から提唱してきたことが、日本国民を救うべきときに一気に花開き、まさに千載一遇の景気回復の準備が整ったわけです。

そのほかにもMMTを支持して、グローバリズム・緊縮財政主義反対論者であり、国民のために現政府の体制に批判・反論の論戦で三橋先生とともに立ち向かってくださる方々としてぜひ、ご紹介しておきたいと思います。

経産省が通産省の時代に官僚の経験もある評論家の中野剛志先生と、同じく総務省で官僚の経験もあり、衆議院で政策担当秘書の経験もある現・室伏政策研究室代表の室伏謙一先生です。僕がお二人に対し感心させられることは、以前は「官僚」で「あちら側」だったお二人が、今は「こちら側」つまり、僕ら国民側に立って日本を正そうとして論じてくださる人たちだということです。この意味は本当に大きいのです。なぜなら、彼らを慕う後輩官僚が、後継者としてこれからも現れてくれる可能性があるからです。

さて、上記しました御三方のお話を聞き、勉強させていただきますと、人はいろいろな考えをもっているからだとしても、僕は勉強しているうちに、頭の固い古い経済学者の「貨幣プール論」は、幼稚な子どもの小遣い帳か、お母さんの家計簿的な考え方に思えてきて、ＭＭＴ理論、つまり「貨幣とは、生産をするために借りる人がいて、それを貸す人（銀行など）がいて、生まれるもの」、つまり「信用の創造」のほうが、合理的説明がつき、正しい理論であると思います。僕も会社の経営で銀行から融資を受け、運用しているときに、「これって、いちいち現金は動いてないよなぁ」と以前から常々疑問に思っていて、担当の行員に聞いたことがあり、「はい、銀行の金庫にある現金や預金の額に関係なく、融資は行われます」と言っていたので、きっとマクロ的にもそうなのだなと、半信半疑でしたが、三橋先生のおかげで、長年の胸のつかえが取れたようで、すぅーっとしました。つまり、よく見かける銀行からの現金輸送は、融資や借入額とはまったく関係がないその他の理由で行われているのです。

けれども僕は、一〇〇％自国建て（円建て）の国債を発行できる日本は、多額の負債を背負っても赤字国債という表現は、政府や旧経済学者のプロパガンダで、間違った表現であり、名目は借金とはいえ日銀への負債は返済義務がなく、財政破綻（デフォルト）はしない。負債から政府が、国民のために必要な財政支出をいつでも行えるような額を残して日銀保有国債に計上する。それと残りの負債を、政府の新規「無期限・無利子国債」を発行して交換すれば終わりという事実。「その後に日本政府は、無期限・無利子国債は現金紙幣と同じだから借金は消え、日本銀行は、地球滅亡の日までバランスシートに計上しておけばそれでよい」と三橋先生は断言しています。

そして消費税は、国民を救うための社会補償費用の財源にしてくれていると信じていたのに、それがまったく為されていなかったこと、この二点に於いて僕が全然知らなかったことで、本当に勉強になりました。こころから感謝申し上げたいと存じます。税金の役割は「財源」ではないのです。

では、税金の役割とは何でしょうか？　三橋先生曰く、

1．好景気の行き過ぎたインフレには徴税（直接税）を増やし、可処分所得を減らして鎮静化

させる。逆に、不景気の行き過ぎたデフレには徴税を減らし、可処分所得を増やして景気を回復させる。

2．高所得者層から税金（直接税）を徴収し、低所得者層あるいは「国民」に向ける公共のサービスに支出することで、格差を是正し、国内を安定化させる。

と、主にこの二つの役割をもつビルトイン・スタビライザー（埋め込まれた景気の安定化装置）であり、所得格差の是正措置のための機能をさせているそうです。そしてこの機能のミソは「直接税」であることで、不公平・不景気の諸悪の根源の消費税は「間接税」であり、この景気・格差の安定化装置にはならないそうです。考えてみてください。消費税は仕事を引退された老夫婦の毎日の食費や、子どもたちが買うおやつにまで、年収一億円以上の金持ちと同じ税率がかかっているのです。また企業の世界でも、赤字の零細企業に、数百億の黒字の大手企業と同じ税率で容赦なく払わせているのです。おまけに輸出額に対して大手企業は、逆に政府から一〇％還付してもらっているのですから、百害あって一利なしの「悪魔の税金」です。こんなものは、国民の皆さんが団結して反対を唱えるべきではないでしょうか？　選挙運動で地元に凱旋した代議士に「バカヤロー」と言いたくなりませんか？

話は戻りますが、つまり日本政府は、国民から集めた税収などの財政の収入に関係なく、GDP（国内総生産）の現在の実行生産数最大値五五〇兆円から六〇〇兆円を超えない限り国債を発行できて、グローバル化やコロナ禍での経済困窮者、地震や異常気象における災害被災地や被災者といった多くの国民の命を、いくらでも救えるのにそれをしていないし、してこなかったということです。

つまり、貨幣の間違った認識が、公共機関の赤字や、公共設備投資は「ムダ」というレッテル張りを政府がして、国民がそれを信じ続けた結果ということです。だから「ダムはムダ」といった無責任な政治家の発言によって、建設は何年も見送られ、豪雨災害で国民を守りきれなかったわけです。また、赤字続きだからといって、国営のあらゆる公共機関が「民営化」されてきましたが、利潤を追求することによりサービスが劣化し、かえって質が低下してきました。公務員を減らして派遣社員を雇い入れ、人材育成を節約するなど責任感がないからです。ここまで述べればおわかりだと思いますが、公共機関は国民みんなのものですが、「民営化」した途端に経営者のものとなり誰かの金儲けでしかなくなるのです。そもそも国の公共機関の所以と歴史とは、公共のサービスを担う機関は国民すべての面倒をみるという厚生であり、奉仕に近い業務なわけですから、民間の企業に託すと利潤追求はとても難しく、経営が成り立たなくなるので国が引き受けざるを得ず、何より国民のために赤字を覚悟して国営にしてきたのがその理由です。よって公共機関は、ずばり赤字のままで良かったのです。郵便局も、国鉄も、かんぽの宿も、グリーンピアのスキー場だって、更にはもともとは公営の研究機関であり、研究員もいた地方博物館や民芸館だって、みんな赤字で良かったのです。なぜなら、国営の公共機関の赤字なら、その損失補填のために政府が国債を発行すればそれで済むからです。つまり、利益を優先しない国営公共機関の赤字は、国民みんなの黒字だったわけです。これが「民営化」された途端、黒字化の利潤を追求するため利用料が値上がり、国民の年間所得額が逆に減っていき、最終消費支出が下がり、数十年のデフレ不況の原因にもなったのです。よって、今問題に挙げられている水協や国民健康皆保険の民営化・外資企業受け入れ緩和なんて絶対阻止するべきなのです。こんな外資企業を受け入れるようなグローバル化といった愚策を放任すれば、水代が値上がり、抗議をすれば「あっ、そう。んじゃぁ、供給停止ね」と平気で水道を止められたり、盲腸の手術代がアメリカと同じ「はい、二百万円ね」と言われたりする世の中に日本は陥る危険があるということです。このことについても、地元代議士が凱旋したら、「バカヤロー」とぜひ言ってみてください。今や世の中を救えるのは国民の知識・声・行動かも知れません。

さて、これら三橋先生から教えていただいた国家を鑑み、では我々は、これからの日本を良くしていくために、どのような修身を身につけていけば良いのでしょうか？　それは、やはり僕は「人を教育していく」ことに尽きると思うのです。

僕たちは、先代・先々代の時代から、先述したような自己中心的な役人や官僚たちを育ててしまいました。それは名誉ある仕事やエリートにさせることばかりに心を奪われ、「勉強だけしていればよい」という思考になり、親としての「こころの教育」を怠ったに違いないのです。「どんなに偉い立場になっても勘違いせず、人を慮れる人間になりなさい」というような躾を怠ったのです。なので、これからはやはり「教育」です。それは自分の子どもだけではなく、他人の子どもでも、後輩でも、会社の部下でも、必要とあれば人に教育を施すという修身を身につけるべきだと思います。そしてここでパナソニック（松下電器）の創業者、松下幸之助氏の遺した名言が輝いてくるのです。それは「良い会社・良い製品は、まず、良い人間づくりから」であり、つまり「良い国・良い生活は、まず、良い人間づくりから」と、「会社」を「国」という言葉に、「製品」を「生活」という言葉に入れ替えてもこの明言は成り立つということなのです。

僕は、これから官僚をめざす青少年たちとそのご家族の方々に、この言葉を捧げたいと思います。そして豆タンクな官僚になるためにはまず、子どもはなるべく幼少期の受験勉強を始める前から、「利他のこころ」を学ばせることが大切です。なぜなら、人にとって受験勉強という行為は、自己中心的な思考と行動に近いものだからです。他人よりは自分本意ですし、まずは自分が受かって成功することが目的ですから、そこに他を思いやる気持ちを持つことは、大人なら多少は考えられても子どもにはたいへん難しいでしょう。

つまり受験勉強の時期は自己中心的思考なので、周りの人や物を見る視野が狭くなりがちになりますので、受験勉強が始まる前から利他の教育を心がけ、勉強中も机上以外の日常の行動の中で、お年寄りに席を譲るなどの利他のこころの修身を身につけさせるように教育するのです。そしてさらに自分自身をきびしく律し、そして間違えたときには、往生際をよくして素直になれる人間。親御さんたちにはぜひ、子どもにそのような教育を施し、育てていただきたいと思います。

そして今、日本の進むべき道とは何か？　を結論づけるとしたら、国家と国民がそれぞれに「利他のこころ」を持ち、ナショナリズムに回帰し、まずは立ち直るということ。それには経済学から導き出された結果に人の血を通わせる、すなわち「経世済民」という原点にかえることなのです。

第三章　八〇五〇、九〇六〇問題について物申す

1．八〇五〇、九〇六〇問題について
――子ども迎合主義とグローバリズム・緊縮財政がもたらす日本に起こり得ること。

今、我が国の深刻な問題の一つとして、中年世代の五〇代の引きこもりが増加傾向にあり、その八〇代となる親たちが生活の面倒をみているという現象を八〇五〇問題といい、さらには、その親子たちの一〇年後を九〇六〇問題というそうです。どうやら、仕事を含め、自分の生活環境という境遇の中で、人間関係がうまくいかなかったり、苦手だったりする人が陥りがちなのだそうです。

僕はこの問題を初めて聞かされたとき、自分と同年代の人も、「引きこもりになるんだなぁ」と驚きました。と同時に、直感的に言って、これらの事象も、ＧＨＱのＷＧＩＰ（ウォー・ギ

ルト・インフォメーション・プログラム）の目論見の一貫だったとすると、そら恐ろしいです。なにしろ藤原正彦先生曰く、アングロサクソン系の人種が世界で最も「長期的戦略」に優れている人種なのだそうですから……。

それはつまり、わかりやすく言えば、ＧＨＱによる戦後教育を頑なに拒み続けてきた雷おやじや、げんこつおやじたちが、身の回りにいたか否か、育ってきた境遇の差なのではないかと思ったのです。

なぜならそれは、親や大人の価値観の強要が必要である子どものときに、その躾や教育をなんらかの形で受けられなかったと思うのです。

義務教育は社会人になるための登竜門であり、多少にかかわらず、嫌なことがあったり、つまらなかったりしても、学校には行かねばならない。それらの我慢や忍耐を強要するのが躾や教育です。なぜならそれを施さないと、「おギャーッ」と生まれてからまだ何も教わらない「素のまま」の乳幼児・小児期は、嫌なものは遠ざけたり、「しなくてもいい」と考えたりします。つまりそれは、半ば人間の本能に近い思考のものです。ですから、人がこの社会で生きていくためには、まずはその対極にある理性的な行動を身につけなければならない。それが親の価値観の強要であり、逆に言えば子どもの価値観（本能的・非社会的自己中）の完全否定です。それが誠の「親の教育」というものです。それが証拠に、子どもを叱ったり、躾けたりするときに親が言う共通の言葉がなんだか思い出してみてください……もうおわかりですよね？　それは、「ダメ！」でしょ？　そうなのです。子どもを叱るとき、躾けるときには、ほとんど、「ダメ」という完全否定から入ります。なぜなら子どもの本能的自己中を窘めるからです。「ダーメ！」「それはダメ」「ダメなのよ」へたをすれば、それだけで躾けられてしまいそうですよね？　しかし近年の子ども迎合主義者らは、「人格の否定はよくない」とか、「放任主義でのびのびと」とか、「縛るのはいけない」とか言っていますが、僕はそれらのほうがおかしな考え方だと思います。それは自己中だらけの猛獣を野に解き放つようなものです。さらにGHQかぶれか否かはわかりませんが、一部の学識者や教育者らは、「嫌なものはしなくてもいい」と教えます。「学校が嫌いなら、無理して行かなくてもいい」と。

しかしそれは、人間社会にとって非常におかしなことになると僕は思います。なぜなら、「働きたくなかったら働かなくてもいい」という論理になってしまうからです。

しかしながら、前衛的な経営者やクリエイターや作家さんの中には、近未来はAI（ロボット）やITを駆使したソリューションとそのシステムインテグレーションを有効活用したり、5Gなどのスマートな通信機器によるマーケティング・コミュニケーション・ツールをリモートなどで駆使したりすれば、大会社のような組織に身をおいて、人に命令されるのを嫌がりながら無理に働かなくても食える時代が来るから、働かないで好きなことだけをすればいいという未来予測をする方もいらっしゃいます。

しかし僕は、この考え方にも些か反対です。

なぜなら人間の社会で、未来にたとえどんなに前衛的なビジネス・スタイルやワーキング・スタイルが確立されていたとしても、その世の中が法治国家であるならば、「嫌なことはしなくてもいい、嫌なものは遠ざけたままでいい」というような本能に近い思考は整合性がなく、少なからず非合理な考え方になってしまうのではないでしょうか？

なぜなら法治国家とは、法の遵守のためには理性的な行動を強いるわけで、ときには我慢や忍耐が必要だからです。「嫌いな科目を無理に勉強しなくていい、好きなものだけ勉強すればいい」という教育方針もきっと、不登校や引きこもりの原因を慮ってのことなのでしょう。しかし、少なくともそれは義務教育を終えた高校生以上に当てはめて言うべきであり、最低限社会で通用する「学」を身につける最も大切な時期の小中学生には絶対に言うべきではないし、あってはならないことです。

「いやーっ、細井さん、参ったよホントに……聞いてくれる？　ウチの会社に入ってきた文系の大卒の新人で、かけ算の九九ができないやつがいるんだよ……信じられる？」

弊社の取引先の専務さんの嘆きのことばです。

いつしか、こんな社会人を多く生む世の中になってしまうのではないでしょうか？　また、ほかの取引先の会社の方にも聞きましたが、最近の文系大学出身の若手社員にも、分数計算があやしい方が多いのだそうです。

これらの要因はどうして生まれるのでしょうか？　それはやはり、「嫌なものは無理にしなくていい」という不登校を慮った誤った教育で、かけ算の九九や分数計算をないがしろにして、そのまま進級や卒業をさせてしまったことに原因があると思うのですが、如何でしょうか？

かけ算ができない、分数計算ができない若者たちが、大卒就職活動の網の目をすり抜けて合格してしまったのは、たまたま試験や面接に出なかっただけでしょう。するとその就活の学生は九九ができなくても受かるのだと勘違いをしてしまい、なお九九を学ばないことが習慣となる。そうなると、ふつうに九九が言える人なら、注文伝票や売上伝票の計算で暗算ができる場面でも、いちいち電卓を使わなければならず、たいへんな時間のむだ遣いとなり、企業としてはたまったものではありません。また、お客さんとの電話などの会話も成り立たなくなります。

（お客さん）「単価七〇〇円で一ロット五ダースだから、六〇×七〇〇で四二〇〇〇円として……」

（新入社員）「はぁー？……」

そのような事態がけっしておきぬよう、僕らが小学生のころの算数の授業では、かけ算の九九は、それこそ教師と生徒が一丸となって身につけることを果たさなければならない、社会人になるための登竜門のようなものでした。「この子が将来社会に出て、困ることがないように……先生はそのためだったら鬼になる」そのような気概が、幼いころでも充分に伝わってきたのをおぼろげに覚えています。

僕らの時代の小学二年生のころは、算数の授業中でなくても、その日の授業も終わりホームルームになると、一人ずつ、「九九」を言わされます。つかえたり間違えたりすると、「はい、居残りぃー」と言われて、最後の「起立！　礼！」が終わると、放課後の課外授業が始まり、間違えずに言えた順から帰れるのですが、最後の一人まで先生は付き合ってくれます。小学二年生でも、そこに情け容赦はありません。その子のためであり、教師としての深い愛情がそこにあります。そのおかげもあって、僕らの時代の小学生は、頭の良し悪しや通信簿の成績に関係なく、全員が、「九九」を言えたのです。

ところが前述の大卒新社会人を鑑みると如何でしょうか？　僕はいろいろな要因が重なって、このような社会人を増やしてしまっているような気がします。

すなわち、件の不登校問題に加えて、子どもへの迎合主義やモンスターペアレンツの存在などです。「なぁーに？　九九が覚えられないから学校へ行きたくない？　じゃっ、まあ覚えなくてもいいか……」おそらくこんな具合でしょう。

ましてや、現代《いま》の世の中、小学校で理由がどうであれ、放課後に居残りなどさせたら、モンスターペアレンツに、「早く帰せー！」と怒鳴られるのではないでしょうか？　もしそうなら、それは先生に責任はなく、親のせいでもあるでしょう。

ですから、このように子どもを甘やかす「子ども迎合主義」的な日本の教育もまた、大企業はおろか中小零細企業でも、「豆タンク」にはなれない多くの若者を生むのです。

故に登校拒否や企業への就職拒否も人間関係だけが原因ではないと思うのです。

日本は今、先進国はおろか世界で最も勉強をしなくて、最も本を読まない国民を多く持つ国に成り下がったと『国家の品格』の著者である藤原正彦先生が憂いておられますが、それは正論であると同時に、作家である藤原先生や僕にとっても、たいへん有り難くないマイナスの要因の一つとなります。よって今、本を売るのがほんとうに難しい時代になったと、作家さんや業界が嘆いています。

ちなみに、多くの数学者を生むインドでは、九九は二桁（99×99）まで暗算ができるように教育をするそうです。どちらが先進国だか、わかりませんよね？

戦後当時のGHQは、戦争に負けたとはいえ、孤高で立派な日本人が怖くて怖くて仕方ありませんでした。なにより、「想定したよりずっと強かった」そう思ったに違いありません。

よって、GHQが作った日本国憲法や教育改革は、少し厳しい言い方をしますが、バカ（自己中）な親たちがバカな子どもを育て、バカな国のままでいて欲しいという思いと願いが込められ、施されたのです。作家の百田尚樹さんが『バカの国』を上梓されました。僕みたいなひよっこが決して題名にできない言葉ですが、この本の内容は正しいのです。何を申し上げたいのかというと、職業の保障や身分の庇護を条件にＧＨＱに加担した教育者や学者が左傾化し、偽りの事実が数多吹聴されてきたとはいえ、孤高な日本国民はＧＨＱや左派の目論見に今までなぜ、気づけなかったのでしょうか？　僕にはそれが不思議でならないのです。

ちなみに、「気づけなかった」と過去形にしたのは、今はインターネットやブログ・スマホの普及の良いほうの利用のおかげで、左傾化した人間に封印され続けてきた、母国愛から語る本当の「誠の史実」が若い人たちを中心に広がりを見せているので、未来に叶う希望が持てたことの意味であり、「うそ」との決別の意と証です。

2. 個人主義による家族崩壊

——ＧＨＱの目論見だった？　日本が崩壊の一途をたどる原因の増え続ける核家族化。

僕が前著で触れました核家族化の問題を、さらに踏み込んでお話しします。

すなわち、八〇五〇・九〇六〇問題も、増え続ける核家族化に起因しているということを申し上げたいのです。

日本の（実はGHQが作成した）憲法には、婚姻は、もちろん男女の合意があって成立するのが原則であるとしているのは当たり前ですが、続いて、「夫婦が同等の権利を有することを基本として、相互の協力により維持されなければならない」としています。偉そうにその当時の欧米の価値観である男女平等を謳っているのですが、内向きなことだけで、肝心な外向き、すなわち国家の一員である国民が家族を持つ（つくる）意義や、国や社会にどのようにかかわって貢献していくべきかをまったく謳っていないということです。そして、のちほどお話ししますが、「夫婦別姓」もこれらを壊し、国家と家族間の連帯・協調性をなくしてしまうことに繋がると思うのです。僕は何も男女平等を否定しているわけではありません。しかしながら、地球上の人類の子子孫孫の繁栄と未来を慮り、育み続けなければならない神々との誓いの前では、それは全然最優先するものではないのです。こんなことを言うと女性にお叱りを受けるかも知れませんが、そんな平等はせいぜい三番目か四番目でいいのです。現代では、「女だから……」とか、「男だから……」とか言ってはいけないと言います。でも僕は、このことには強く反対です。

つい先日の医科大における入試の男女合格比率の操作問題についても、たいへんな大騒ぎとなりましたね？　ではなぜ男女の合格率に格差（比率操作）をつけなければならないのか？　べつに男尊女卑でもなんでもありません。病院の運営では当たり前のことなのです。臨床の場でのやむにやまれぬ切実な理由とはなんでしょうか？　それは外科医による長時間の手術やER（救急救命医療）の現場では、へたをすれば一日中の立ち仕事になり、女性の体力や社会的事情も鑑みて、男性よりも劣り、不向きだからです。ドクターXのような女医はドラマの世界だけの話です。またつい最近では、ERで活躍している天才女医さんのドキュメント番組を観て誤解している人も多いと思いますが、臨床の場では零コンマ数パーセントの女医さんです。そのような事情も知らずに、メディアなどが、その女子学生の訴えを少し報じただけで安易に迎合し、いっせいに騒ぎ出す国民性があるにしても、あまりにも世間や事情を知らな過ぎです。文句をつける前にきれいごとではなく、もっと世の中の現実を学ぶべきです。また医学を目指すその女子学生も、自分が入る世界のそのような事情を知らないというのが僕は不思議でならなかったのですが、おそらく、うるさ型の女性人権派の「男女平等」の大げさな吹聴に乗せられてしまったのではないでしょうか？

女性は一般的に食事が細いうえ、生理や成長期・妊娠・出産・授乳などから、男性よりも鉄分が不足して貧血の状態になるときが多く、急に倒れることも起きるから、長時間立ち続ける仕事は、男性よりは不安定で不向きと言えます。故に、勤務の不確実性は否めないのだそうです。したがって、僕の友人の医師は、男女雇用機会均等法を謳う世の中でも、病院といった臨床の場の男女比率の理想は八：二、均等法を最大考慮しても七：三が限界で、六：四や、ましてや五：五なんて絶対あり得ないし、病院も回らなくなるからあってはならないことで、今回の男女合格比率の操作も正しいと声を大にしています。

また、子どもの病気や学校内などの問題が起きると、やはりそちらを優先し、早退・半休といったこともするようです。でも、僕はこれを責めているわけではありません。母親として当然のことをしているわけですから。

すなわち、医学ではなく、医師の臨床の場である病院勤務は、「男社会」ということです。しかし、このような事情があれば、今回の勉強不足のようなマスコミやメディアに叩かれたときに、なぜ当事者である医学部や病院関係者がきちんと世間に説明しなかったのか？　僕は不思議でならないのです。このようなことは、あやまれば良いという問題ではあるはずがないのです。

またこのように、男女平等と叫ばれたり、男女雇用機会均等法と言われたりしても、世の中の職業には、「主に男社会」の仕事や、「主に女社会」の仕事はあり、五対五に近づけようとしてもそこには無理があることを、人としての道理ではなく、それ以前の人間として、男女における心身の構造の違いによって生じる適正・不適正を理解し、受け入れなければならないと僕は断じたいのです。

また、余談になりますが、看護婦という呼び名には性差別の問題があるという偏向者の歪んだ主張がまかりとおり、看護師に変えられてしまったことにも、僕はおおいに反論いたします。これも、同じ看護にも、主に男向きの仕事、主に女向きの仕事があるということを完全に逸脱した、世の女性にいい顔をしているだけの偏向女性人権者の過ちの主張だったと僕は論破します。

なぜなら、たとえば入院している患者さんが、何かちょっとした力のいる仕事や介護を頼もうとしたときに、「男の看護師さんはいますか?」と尋ね、女性の患者さんが同性にしか頼めない身の回りの世話や介護を求めるときに、「女の看護師さんはいますか?」と言わねばならないわけで、これは不合理ではないでしょうか? それにこのような尋ね方のほうが、なんとなく、「男女差別」しているように聞こえませんか?

では(正しく?)言い直してみましょうか? 「看護士さんはいますか?」「看護婦さんはいますか?」……これだけです。

この言い方のどこに差別があるというのでしょうか？

また、スチュワーデス↓キャビンアテンダントも、男性名詞・女性名詞の問題であり、同じです。機内を回るスチュワーデスに、「この便は男のキャビンアテンダントは乗っていますか？」↓「スチュワードはいますか？」であり、スチュワードに、「女のキャビンアテンダントを呼んできて」↓「スチュワーデスを呼んでください」……これだけです。皆さんはどちらがスマートに思うでしょうか？　大人な読者さんは間違えないですよね？

僕はあきれて文章にするのも嫌だったのですが、あえて論破させていただきました。ホントにもう、いい加減にしてお願いしますよと申し上げておきます。誰とは言いませんが……。

3．神様から与えられた男女の役割をまずは尊重すべし
――それをなくして人類に未来の繁栄はないことを知り、超長期的視野を人間はもつべきである。

ここで改めて申し上げます。男と女、雄と雌、さらに英語でＭＡＬＥとＦＥＭＡＬＥ……神は基本的には、子孫繁栄のために二種類の役割を持つ肉体をこの世の生き物に与えたのです。そしてそれは身体の構造上、それぞれの役割を持ち、決してすべてを賄えない構造になってい

ます。なぜならそれは、やはり子孫繁栄を怠けるからに外ならないと思うのです。男女が権利を平等にしても、主に男性がやるべきこと、主に女性がやるべきことがあって、それが少し違っても、体やこころの構造が異なれば、仕方のないことで、然るべきものなのではないでしょうか？　それをさらに平等に近づけようとして、少子高齢化・超高齢化社会・人口減少の要因をつくり失敗しているのが、世界で最も偉そうにしている先進国の国々なのではないでしょうか？　僕が何を述べたいのか、如実に表現している作家さんがいます。僕が尊敬してやまない曽野綾子先生のご著書から読んで学んだことをご紹介します。

　猿やチンパンジーといった霊長類をはじめ、哺乳動物らの多くは、子どもが生まれて乳離れをするまでの間は、片時も離れることもなく寄り添うそうです。そしてやがて、独り立ちをするべき時期まで成長すると、まるで昨日までの母性がウソのように突き放します。なぜなら、生きていく上で必要なことだからと、このように論じた後に、「ところが、人間の社会である現代の日本の母親の多くは、自分の子どもが乳幼児で、寄り添うことが必要であるべきときに外で働くことを優先して子どもと離れ、逆に突き放して独り立ちをさせるべき年ごろの時期に、ベタベタと親バカのように貼りつくといった逆のことをしている」とした上で、「なんらかの事情で、女手ひとつで育てなければならない境遇なら仕方ないことにせよ、家庭に夫がいて収入があるのに、その乳幼児の育児を犠牲にしてまで働く女性も多いと聞く。その理由も、収入が少ないので食べていけないという切羽詰まったことならまだいいが、ほとんどが、自分の趣味や贅沢品を購入したいがためらしい」というのです。もちろん、消費税増税やケチな緊縮財政といった日本政府による悪政で、共稼ぎは必須という家庭もあるかも知れません。また、理由はそれだけにはとどまらず、社会や会社組織に認められたいという自己実現の欲求などもありましょう。皆さんは、この問題をどのように思うのでしょうか？　僕は、子どもが一人でもしっかりお留守番ができて、ときには自分で自炊したり、洗濯ができたりするようになるまでは、母親が働くこと＝欲求や贅沢をするためのこと以外に理由がないのなら、我慢するべきと考えます。それが母親の覚悟だと思います。

私事で恐縮ですが、僕の母親は、「自分のことは、なるべく自分でやる」の教育でしたから、そのような意味では、教育の先端を行っているような人でした。

小学二年生のころ、「運動靴ってね、衣服洗濯用の粉石鹸をつけて洗うときれいになるんだけどね、何回もゆすがないとヌルヌルがなかなか取れないので、履いていると気持ちが悪いんだよねー」と友達に話したら、「えーっ、細井って自分で靴を洗ってるの？　かわいそー」とたいへん驚かれたのを覚えています。僕はそのとき、親に洗ってもらっている友達を羨ましく思う気持ちよりも、自分が誇らしかったです。「こいつら、自分の靴《ズック》も洗えないのか」と……。そしてその習慣は中学生になっても続き、僕が通った中高の制服はブレザーだったので登校は革靴でしたが、中高の六年間だけでなく、現在に至るまでの約四十五年間、自分の靴は自分で磨いています。ですから、今では靴磨きはプロ級の腕前です。

その他には、自炊をやらされていたというよりは簡単な経験をすることができました。

僕は母と一緒にデパートなどに出掛けると、着いた途端に飽きて、「ねえっ、もう帰ろうよ」という実に子どもらしい性格だったし、母も着いた途端に帰ろうという無神経で理不尽な僕のリクエストに呆れ返ると同時に閉口し、あまり連れていきたくないと思っていたので、小学三年生のころはすでに、家族で遠出をするとき以外の通常の日曜日などはそれぞれ別行動で、母は「お昼は買うかつくるか勝手に食べてね」と言って、そそくさとデパートなどに姉をつれて出掛けてしまうので、自分でなんとかするのです。おばあちゃんは大抵いることが多いのですが、お世辞にもお料理が上手とは言えなかったので、「何かつくろうか?」と言われると、自分でつくるインスタントラーメンのほうがおいしかったので、だいたい、いつも丁重に断っていました。

たしか、日清の「出前一丁」と明星の「チャルメラ」がおいしくて好きでした。当然料理とは言えませんが、小学生にしてみれば、現代のカップ麺とは違い、立派な「自炊」です（薬味のネギは自分で切りましたから……）。

話は逸れましたが、せめて子どもが、そのようなことができるようになるまでは、寄り添い、育て、そして教えることが、人間の母親としての義務というよりは責務ではないでしょうか？その責務を全うして、必要に応じて働きに出れば良いのです。

しかしそれには、企業もそれに対して、もっと理解を深めていくことも大切なことと言えましょう。たとえば八年間くらいを限度として一時退職（在籍）を認めて育児後に職場復帰を容認したり、その八年間はノルマを課さない在宅勤務などをさせたりするような制度などです。ましてや高齢化社会と長寿社会により定年延長が叫ばれている昨今には、とても適合する制度だと思うのですが、如何でしょうか？

またこのような制度や保護政策の遅れから、男女格差が世界で百二十一位などと言われてしまうのです。僕は世界の男女平等を正しいことだと思わないし、しゃにむに見習うなんてナンセンスだと思うし、それが何か……と思っています。

しかし、反省点を述べさせていただきますと、これまでこのようなことは、高度経済成長期とともに国民の会社至上主義的な思いに庇護され、大企業を中心とする多くの企業が、母親の子どもに対する教育や躾を施す貴重な時期の保護、長期休暇の制度確立などを、ないがしろにしてきました。

よってこれらを見直し、これからの人類や社会を助ける未来の豆タンクな父や母を養成するためには、ぜひ、必要な制度だと断じたいのです。

また、子育てとは、自分の身の回りに良くも悪くもかかわる（ふりかかる）未来永劫的で因果応報なものです。このようなことに、私たちはもっと早く気がつくべきです。

たとえば日本の母親の多くが、もし自分の子どもに人としての道徳や序列、社会のルールやマナー・秩序などの躾や教育を、働くために怠ったらどうなるでしょうか？　おそらく自分自身でさえ、母国の日本に怖くて身を置けないくらい、ひどく荒廃した治安の悪い世の中になっていくのではないでしょうか？　そして今も、少しずつそのような世の中に近づいていると言っても過言ではないのです。皆さんはお気づきでしょうか？

無論これらのことは父親にも責務があるのは当然のことで、それを前提として母親の立ち居振る舞いを述べていることを念のため申し添えておきます。

特に日本には、自己中で根無し草のような人をつくり、あいかわらず骨抜きのままにさせておきたがる一部の偏向教育論者や親が邪魔をするので、それらの者が蔓延る限りは、豆タンクな子ども、ひいては未来を託せる日本の豆タンクが現れることは、たいへん難しいのではないでしょうか？

だからこそ、これからの未来の健全な社会を形成していくためにも現代《いま》の世の中は、「じっくりと子どもを育てていく」ことこそが、たいへん重要な意味を持つのです。

4. 夫婦別姓のおとし穴

――夫婦別姓！ と叫ぶ人たちに物申す。

だれが掘ったおとし穴かですって？ それは前述したとおり、藤原正彦先生がご著書のなかで教えてくださった、地球上で最も長期的戦略の構築を得意とする「アングロサクソン系」すなわちこれもＧＨＱの目論見だったと僕は推測します。つまり、日本人に「公を慮るこころ」を捨てさせ、徹底的に「個人主義」（自己中）に向かう教育をし続け、いずれ「夫婦別姓」にまで考えが及ぶように仕向けられ、またそれを吹聴する者が現れることまで予測して作られたものと言っても過言ではないのです。もちろん、すべての人がそれに当てはまるとまでは言いませんが、その伝統を重んじる人にＧＨＱによる洗脳もまたあり得ないのです。

そしてその狙いは、日本の国家と国民、家族との一体感や連帯感といった団結力の「解体」ではないでしょうか？ なぜなら夫婦別姓によって、ますます「核家族化」へ進む可能性があり、国民の「助け合い」が崩壊するからです。

「それなら結婚しなければいい」……また言ってくれましたねえ、杉田水脈《みお》衆議院議員。国民民主党の玉木雄一郎代表が、一般質問で、名字が変わるから女性に結婚を断られた男性のエピソードを述べた瞬間に言った暴言（実は正論）です。

これも前著でも触れました「ＬＧＢＴ」の問題に「非生産性」と発言したことに引き続く暴言だったかも知れませんが、僕は大絶賛いたします。なぜかと言えば、やはりそこには「偽善」がないからです。また、この杉田議員の発言に「ひどい」「けしからん」と目くじらを立てているのは、ＧＨＱの術中にみごとに嵌められている人たちか、男女平等を隠れ蓑にしている極端な人権派で、日本を貶めている人たちの口車に乗せられている方々です。

でも、杉田さんと同じ与党なのに、「けしからん」と言っている政治家はそれとは異質なものです。それは、夫婦別姓でもいいと思っている国民が意外にも多いので、それが日本にとって良くないこととわかっていても、票が欲しい自己保身から言ってしまう人たちです。

今回の杉田さんは素早いヤジが言いたかったので、言葉が足りなかったのがいけなかったかも知れません。

「名字は嫁入りか婿入りで決めればいい。それができないのであれば、現状の法律に従うまで、事実婚・内縁の選択の自由があるのだから婚姻しなければいい」と言うべきでした。本人も、このように言いたかったのでしょう。でもヤジとは短く言うものですから、省略しすぎて本意が伝わらなかったのではないでしょうか？　いずれにしても、そう目くじらを立てることでもありません。玉木雄一郎代表は、ＭＭＴを理解して支持もしており、積極財政派ですが、この騒動に関して僕は、杉田さんに軍配を上げます。けれども、お二人ともＭＭＴ支持の積極財政派なのですから、仲よくしていただきたいです。

また推進派に、「今どき名字をいっしょにするなんて古い！　時代錯誤だ！」と声を荒げるような女性人権派もいますが、有識者に言わせますと、明治の初期のころにはむしろ、「男性側の姓を名乗ることを許さず、逆に別姓（旧姓）のままにさせていたという史実もありますから、それらは女性人権派のデタラメで、まったくのウソです。

そんなことよりもまず、旧姓を使って仕事をすることを、企業や職業の世界が、今まで以上にスタンダードにすればいいのです。

そして国や社会（特に金融機関など）が、既婚（婚姻）者と内縁（事実婚）者の社会的信用度を同程度にしてあげるのです。こうすることにより婚姻と内縁の選択肢を広げて、名字の拘りによって選べばいいのです。よって、このような配慮をしてでも、「夫婦別姓」は決して合法化するべきではありません。なぜでしょうか？

それは、先述しましたように、家族同士の絆がなくなり、核家族化が極端に進むからです。そしてさらに深刻なのは、それらの理由が逆に少子高齢化を加速させる可能性もあるからです。

たとえばもし、子どもを儲けたとき、どちらの名字を選択させたらいいのでしょうか？　そこに争いが生じて両家の軋轢を生み、確執にならないでしょうか？　そして疎遠になってしまうのではないでしょうか？　また、二人目、三人目の子どもらには、どちらの名字を選択させるのでしょうか？　下手をすれば家族崩壊、両家離散です。

しかしながら、それを回避する方法が一つだけあります。それは両家が、お互いの自分の子どもの家族に介入せず、核家族化をさせること。そして、子どもは取り合いの争いの原因になるので、つくらないこと。このような負の論理というか縛りに陥るので、僕は「夫婦別姓」の制度に未来はないと断じたいのです。

最後に皆さんに言いたかったことですが、この夫婦別姓にも一理あります。それは、今の若い国民に、結婚の決まりについてあまりうるさいことを言うと、ますます未婚が増え、少子高齢化の要因になるのではないかというものです。

それも確かに否めないことかも知れません。本来なら、戦後の義務教育で伝えてこなかった日本の正しい史実と事情を若者に教えて夫婦別姓の愚かさを理解させ、納得してもらうのが最良なのですが、もし、それが実現できない世の中になってしまったのなら、皆さんはこれから僕が申し上げる二者択一のうち、どちらを選ぶでしょうか？　すなわち、少子高齢化になっては困るから、国家や国民がバラバラで助け合いのない薄情な世の中になっても、とりあえず産めよ増やせよと若者に好きなように結婚させ、GHQの目論見どおりの「根無し草」のような人ばかりの日本で良しとするか、それとも一億人を割るような人口減少が生じても、日本は助け合いや団結力を持てる人を育てる国となり、これからの未来にさらに難しくなるであろう世界との外交を少数精鋭で乗り切る国をめざすかのどちらかを、です。

僕は後者を選びます。なぜかと言えば、たとえ一時的に人口減少が生じても、やがて「豆タンク」な人たちが復活させ、未来永劫に続く世の中にしてくれると信じているからなのですが、さて皆さんはどのように考え、どちらを選ぶのでしょうか？

またその他にも、二十年以上にも及ぶ緊縮財政によるデフレで、GDP成長率が世界最低を続ける日本の世の中では世帯収入が上がらず、子どもを儲けるのが著しく難しいことが少子高齢化・未婚率増加の要因という論調もあります。これらの要因も鑑み、政府は国民を豊かにしていくことも強く求められるでしょう。

と、申し上げているうちに、さらに杉田水脈衆議院議員が暴言をやらかしてしまいました。TBS元ワシントン支局長の山口敬之氏から不同意の性交渉を受けたとして、伊藤詩織さんが損害賠償と刑事告訴と両方訴えた事件です。結果は、損害賠償は認められたものの、刑事告訴は訴追にならず、山口さんは無罪になりました。きっと控訴が続くのでしょう。また一方では山口さんも、損害賠償について控訴をすると言っており、泥沼化を呈してきました。この件について杉田さんは、「女性への性暴力を巡る相談事業」の団体に対し、「女性はいくらでもウソをつける」と発言して世間や野党から非難され、伊藤詩織さん本人からも、「名誉棄損」で訴えると言われましたが、本人弁護団は「棄損」の立件は難しいとの見解で、「名誉感情侵害」と一歩退いた訴訟の変更になる模様です。ではなぜ、杉田さんがこのような発言をしたのか？

僕の考え方も一緒に述べたいと思います。それはきっと、女性が立場的に弱いという事実があるとしても、男性側の言い分や主張も聞き入れなければ、このような男女間のトラブルは決してなくならないと言いたかったのではないでしょうか？　そもそも前述した「女性への性暴力を巡る相談事業」や女性の人権派団体といった組織が、このような事案の問題に女性だけで議論するのは間違いであり、男性も同人数にして活発な議論をしていくべきです。なぜなら、主観に走らず客観的な議論から導き出された原因や動機が、今後このような問題を起こさない「抑止」となるからです。か弱い女性がと、主観に走って擁護するばかりの議論は意味がなく、何も生まれてこないのです。男が行動を顧みるのは当然として、けれども女も自分の立ち居振る舞いや素行を顧みなければ、このような問題は決してなくならないのです。世の女性にはたいへん厳しいことを申し上げますが、少なくとも事件が起こる「動機」の発生原因に（男：女）一〇：〇はあり得ないのです。これが現実です。

きっと、杉田代議士はこのように考えたのではないでしょうか？　自分自身が女性だけに、偽善のない発言をしたつもりなのでしょう。

因みに杉田水脈衆議院議員は、同じ自民党内で、安藤裕衆議院議員の呼びかけで結成した「これからの日本を考える会」に所属しており、口がかなり悪いのが玉に瑕ですがいっさい偽善はなく、未来永劫に続く日本を願う女流代議士です。また先述したようにMMTも理解しており、とても勉強熱心です。著書を読めば勉強しているか否かがすぐにわかります。

5．人は与えて、初めて成長する
――もらうことばかりを考えるのはやめましょう。

※（日本における消費税は社会保障の財源つまり「ビルトイン・スタビライザー」になっていないことがMMTにより発覚しましたので、この場では除きます）
すなわち、皆さんが支払う税金も、広い意味では国民すべての人々が与え合うものだということに気がついて欲しいのです。これが本来の税金の役割である「所得分配」であり、保護・補助の社会保障費に割り当てる所得格差の是正です。それが所得税をはじめ、法人税や以前の税法だった物品税といった「直接税」だったのです。その正しい税金の機能を、「ビルトイ

ン・スタビライザー」と言います。

山本太郎――「桜を見る会」などの揚げ足取りで時間稼ぎをし、独自の代替案も持たずに重要な法案の審議や可決を先送りにするような政治家不適合者だらけの野党連合や、その逆で、国民に不利益になる知らせたくない重要法案をメディアで知らせず、こっそり通す自民党の「売国奴」とは一線を画し、全国街頭演説ツアーで、政府の緊縮財政の政治姿勢に反対を唱えているのは一目置くところです。

彼は消費税廃止論を以前から訴えていますが、僕はこれには賛成します。これからの超高齢化社会と少子高齢化の進捗速度を鑑みれば新しい税収の形が求められますし、嘗《かっ》ての物品税や法人税も、消費が冷え込まない程度の税率にして復活させていくことも必要になるのではないでしょうか？　しかしこのコロナ禍では、二、三年の据え置き期間は必要でしょう。

そしてこれから先の世に極端な人口減少が襲ってきた場合に並行して進めていきたいのが道州制であり、一道十州にして廃県置州をし、国内の政治家の椅子を半分以下にすることも将来必要になってくるかも知れません。そのときに果たして山本太郎氏に、自分の椅子をも失いかねない抜本的な国政の是正改革に取り組む覚悟がどれだけできているかということも注目されるやも知れません。

そしてもし、その覚悟があって改革を提唱して進めていくのなら、僕は相当な政治家として賞賛したいです。

でもそれよりも、自分の持ち前のカリスマ性を発揮したいのであれば、まずは国民をしっかりと教育してみることから始めてはいかがでしょうか？

世界を見渡せば、日本は世界に誇る「国民健康皆保険制度」をはじめとして、国からいろいろな保護や補償を受け、助成してもらい生かされている希少な国で、発展途上国や紛争が絶えない国々の人々から夢のような国として羨ましいと思われているのに、平和ボケしてそのようなことを、「あたりまえ」のように考えているこころ……日本人はそのことにもっともっと気がつかないといけないし、「有り難い」と感謝するべきなのです。よってまずは山本太郎氏に、演説の冒頭で、そのことを国民にしっかりと教えていただきたいのです。

僕は、よくこれだけの政策や補償ができているなと、そのことについては今までの国を称賛し感謝しています。「もらうこと」ばかりを考えるのではなく、「与える」ことも考えると、国や社会もさらに良くなっていくのではないでしょうか？　政府が心を入れ替えて、これからの人口減少の将来に向けた設備投資のための建設国債の発行や社会保障費用にどれだけの予算を割り当ててくれるかわかりませんが、でも国が国債を発行し、国民に所得を与えてくれるのなら、僕たちも世の中に与えることは必要です。

「人は与えることで、初めて成長するもの」

これは作家の曽野綾子先生ご自身の哲学とも言える言葉です。「与える」とは募金や寄付といった金銭的なものだけに留まらず、親切や優しさといった人を慮る行動などの施しを与える意味もあります。何もせず、ただ、「国にしてもらうのは当たり前」と頑なに言う人たちは、このこころを忘れてはいませんか？　少なくとも収入がある人たちなら、「与える」ことで初めて「してもらう」権利を有するのです。当てはめて述べれば、国や人々に感謝し、自分はもちろんすべての国民のために使って欲しいと願う有り難いお金を納めて、初めて国に「してもらう」のです。「与えることができない人」とは、「成長することができない人」のことです。

とはいえ、こと消費税に関しては「逆累進課税」となり、反対論者は与野党を問わずにおります。富裕層以外には家計に重くひびき、財布の紐も引き締まり消費も落ち込むという、野党が言っていることは間違いではありません。なぜなら、命を守る「食費」にも消費税が発生してしまうからです。さらに電気・ガス・水道といった「住」にもです。高価なぜいたく品の税額は高く、安価なものの税額は低く抑えられるので、消費税は平等と唱える政治家たちもいますが、それは大きな間違いです。なぜなら、たとえば世帯収入に一〇倍の格差があっても、「食・住」に一〇倍の格差は生まれないのです。せいぜい三～五倍程度です。よって世帯収入の中で生活必需品費用の支出割合に大きな格差（不平等）が生まれるということです。

それに対して与党や保守系の方々は緊縮財政主義で、ＰＢ（プライマリー・バランス）黒字優先の財務省主導の経済政策の言いなりになる政治家と、それを正す政治家の間で賛否は分かれますが、それらの原因によるデフレスパイラルや、長年続いているＧＤＰのマイナス成長下で消費税が増税されれば、ますますデフレ不況から脱出する機会を失うという見解です。それは民間最終消費支出がさらに減少に転じ、生産は滞り、ＧＤＰがまた下がるからです。なぜなら国民の不本意ながら集まった消費税も、社会保障費（国民）に使えるように厚生労働省所管の特別会計に組み入れるべきなのにそれをせず、ＰＢ黒字化のため、財務省所管の一般会計のまま政府の財政歳入のほうに組み入れて、事実上国民から奪い取っていたに等しいことをしたからです。

消費税が高いデンマークでは、ＧＤＰの成長により物価も上昇しており、最低賃金保証（時間給）も日本の約三倍です。おまけに、大学までの教育費免除や失業労働者補償の分厚い手当てで国民も納得です。さらに富裕層にも直接税はかけられていて、消費税では足りていない部分を社会保障費用としてしっかり補っています。またアメリカも消費税を徴収していますが、限られた品目であり（アルコール飲料やたばこ類など六種類）すべての消費にかかるものではありません。その代わりに売上税というものがあります（四％～七・五％）。しかし、企業の原材料仕入れや小売店の商品仕入れには、消費税・売上税ともにかかりません。すばらしい区別・選別です。イギリスの消費税は、生活必需品（食材・子ども用品・交通費）〇％（非課税）、ガスや電気料金五％、アルコール飲料・ケーキやチョコの贅沢お菓子・外食・娯楽二〇％と細かく分けていて、「感覚的に消費税高いな」と思うことはないそうです。なぜなら、生活必需品のほとんどが非課税だからで素晴らしいです。こうして比べると、日本政府が世界でいちばん貪欲で残酷徴収のうえに、不公平で怠慢であると言えます。なぜなら、わずかな小遣いを握る子どもや定年退職したご老人といった無収入の人、さらにはホームレスにまで、「食べ物」を買うときには消費税を払わせ、しかも、年収一億円以上の人たちと同じ税率をかけているからです。恥ずかしくないですかね？

しかもメディアなどがあまり取り上げてくれないので意外と知られていませんが、日本の消費税のデメリットというよりは欠陥であり、不公平なこととは、世の家庭や主婦の方々からお叱りを受けるかも知れませんが、家計に厳しく財布の紐がきつくなるといったこともたいへんなのでしょうが、それはほんの些細なものであり、そんな小さなものではないのです。本当に深刻で大きな欠陥とは、大企業・中小企業そして零細企業すべてに、同じ税率の消費税をかけており、赤字決算でも支払わせていることです。なぜなら、粗利益に消費税をかけているからです。本来なら、経常利益（最終利益）に消費税をかけるべきで、それが利益の出ている黒字企業だけにかかる正しい「累進課税」となるのですが。また、さらに輸出品を手掛けている大手企業と、それを下請けなどで支えている中小零細企業との間に、大きな格差とも言える不公平が生じている「消費税還付金制度」がたいへんな問題なのです。

輸出品には消費税をかけられないので、諸外国のサプライヤーには請求できません。よって日本の大手企業は、消費税分を内税にして値上げをするか、為替の円安の変動時に消費税分を挽回しています。その企業努力だけで充分に取り戻しているはずなのに、その輸出分の売上高の一〇％（消費税率）を大手企業が海外サプライヤーに請求できなかった「消費税不請求分」として政府が企業に支払っているのです。つまり、輸出品の売上高が一〇〇億円あれば、政府から「消費税還付金」として一〇億円もらっているのです。これは大企業に対して、いくらなんでも甘やかし過ぎていると思いませんか？　しかも前述したようにほとんどの大手企業が値上げなどで取り戻しているのですから、「二重取り」しているわけです。僕の旧来の仕事の恩人で尊敬している先輩が、日本の経済界に精通している事情通なので教えていただいたのですが、営業利益が赤字で業績が大して良くなくても、その消費税の還付金のおかげで経常利益がプラスに転じて助かっている大手企業も多いと言います。「なにしろ売上高が大きい企業なら、還付金も数百億円単位だよ」と優しい先輩が教えてくれました。

　ではなぜ不公平なのでしょうか？　それは、その大手の輸出品を下請けで製造・生産して支えている中小零細企業は、その材料や部品の供給のほとんどを内需の取引で賄い、組み立ても行っているため、消費税が発生しているからです（国内アセンブリー）。

　よって大手は、人道的に考えれば、輸出品として還付してもらった税金分を国内中小零細企業に当然還元してあげねばならないのですが、先輩の話によると、ほとんどの大手が還元をせずに、「独り占め」していると言います。ここで、「なぜ、大手が還元してあげる必要があるの？」と疑問も聞こえてきそうですね。もちろん、きちんと還元している企業も少なからずありますが、下請けを可愛がらない多くの大手が、輸出品の下請けへの発注分は、「海外サプライヤーには消費税を請求できないから、輸出発注分の外注部品の購買受入れの際に消費税は支払いません」と断りを入れているのです。つまりこれも、「二重不払い」をしているのです。二重取りに二重不払い……正に濡れ手に粟です。大手企業や経団連が「消費税反対！」と声高に言わない所以がここにあります。反対というよりはむしろ大賛成であり、反対している大手は内需取引が多い企業くらいでしょう。しかしこれでも最近は良くなったほうです。日本で初めての消費税が導入された三％のころは、内需品に関してさえ、「うちじゃ消費税は払わんから、消費税を内税にして品物の値段は今までどおりで請求してね」と大手企業が平気で言う世の中だったのです。つまり実質は、「三％の税率分は値下げしろよ」と言っているのです。そのころ、内税や外税という言葉が流行りませんでしたか？　内だ、外だと節分じゃないんだから。でもこの横行ぶりはさすがに問題になり、各業界からの告発もあって中小企業庁が乗り出し、是正勧告の措置として、中小零細企業が大手の経理部などに、「嘆願書」として配れるように書面などを作成してくれました。

ふつうなら、中小零細企業が行政や公正取引委などに告発すれば広く世間に周知され、政府から是正勧告といった処置が施されるような問題なのですが、大手に睨まれたら死活問題にもなるので、泣き寝入りせざるを得ないのでしょう。池井戸潤先生の「半沢直樹」のような話は現実に横行しており、それらの作品は「ノンフィクション」に限りなく近いものです。日本の中小零細企業の戦士たちは、この過酷とも言える環境の中で、必死にその細腕で経営に奔走しているのです。その理不尽はなぜ生まれるのでしょうか？　それは今の日本政府が、グローバリズム・グローバリゼーションにシフトしていく中で、不必要な企業は整理してなくしてしまう方針で動いているからです。その白羽の矢が主に中小零細企業に立っているのです。緊縮財政などをＰＢ（プライマリー・バランス）黒字化の拮抗作用に、正当性が然もあるかのようにこじつけ、それを理由に国債の発行をケチり、中小零細企業に仕事を「あげない・させない」それらの措置や、消費税還付の不公平の黙認もその篩《ふるい》にかける手段であり、政府の目論見の一つと僕は思うのですが如何でしょうか？

どうやら政府には、ほかにも目論見があるようです。それは正規雇用を不安定にして、人材派遣会社に儲けさせたいグローバリズム的誘導です。つまり、正規社員の賃金は粗利益から支払われるのに対して、派遣社員やパート採用の人件費は原価に入れられて消費税額の圧縮ができるので、多くの企業が非正規採用にして派遣会社を利用するからです。多くの無意味な公共民営化も公務員を減らし、人材派遣会社の非正規雇用を利用させるためだとも言われています。さらに都や各地方行政の要と言える都道府県庁や市・区役所なども徐々に公務員数を減らし、非正規の契約社員を採用していて、すでに東京都区・大阪府市の概ね半分は派遣契約社員にされています。こんなことで、すべての国民を支えていかねばならない行政サービスができるのでしょうか？　いいえ、できません。なぜ、政府が派遣会社に仕事をさせたいのか？　お知りになりたければ、少し勉強すれば日本の解体と切り売りを目論むグローバリストの全貌と首謀者がすぐに見えてきます。

ただし、右派・左派で判断してはいけません。

本来グローバリズム・グローバリストは「根無し草」の思考で売国的であり、「エニーウエア」族ですから、右派とは対極的な人たちです。しかし最近では右派のふりをしているグローバリストが多いので、国民は騙されないようにしなければなりません。「憲法九条改正！」「北方領土返還！」とさけびながら、自分の利益のためにグローバル化を推進しているようです。

たとえば「〇〇都構想」にかかわる人たちもそうです。彼らはグローバル化の骨頂である「IR法案」の機に乗じて地元にカジノを誘致する目論見だと三橋先生・藤井先生・室伏先生らは分析しています。もともとカジノの誘致の案も、元ゴールドマン・サックスのアナリストで親日を装うグローバリストの意見だと言われています。当然、暗躍する派遣会社もカジノに何千人もの人員を送り込めるので、ぼろ儲けでしょう。

僕は今まで彼らを信じていただけに、腹の底を観てとてもショックで残念に思いました。皆さんは今回の構想問題をどのようにお感じになられたでしょうか？

6．なぜ、グローバリズムという世界の潮流に準じて付き合ってはいけないのか？
——サムシング・グレートの神々の本意とは違う地球主義。

先日も某メディアで、件のゴールドマン・サックスの元アナリストだかなんだかわからない者が、その日本人の年収の低さの要因として、中小零細企業らが業績や収益の低さを理由に低賃金で雇うから、他の小規模企業も倣って同じことをする連鎖があるからだと結論づけていました。

世界の先進国と比較して日本人の年収が低水準になってしまったことは、中小零細企業のせいではありません。原因は、政府がデフレ不況を長年の間なんの対策もせずに放っておいた結果、ＧＤＰが上がらず、マイナス成長を続けているので、年収（初任給・賃金）も上がらず諸外国に追い抜かれているのです。僕の記憶ではおそらく、もう十五年以上は、大卒平均初任給月収は二十三万円～二十六万円で推移を続けており、上昇していないのではないでしょうか？よって、今はＧＤＰが急成長している新興国にも負けていると言われています。こんな国、発展途上国以外では日本だけではないでしょうか？　ちなみに、カリフォルニア辺りの西海岸周辺の一流企業の大卒平均初任給月収は五十万円前後で、年収四千万円以下なら金持ちとは言わないそうです。ちなみに、中国の一流企業も同じ水準です。

話は戻りますが、僕にはこのメディアが、年収が上がらない責任は政府にあると国民に思われないように忖度してデタラメな番組を企画・制作したのかと思えてならないのですが、あまりに国民や中小零細企業をバカにしていて呆れてしまいます。

そもそも、日本国内の問題を取り上げているのに、なぜアメリカ人の元アナリストが評論するのでしょうか？　日本のまじめな（大手の息のかかっていない）経済評論家や中小企業経営者らをゲストに呼ぶべきでしょ？　そうでなければ、まるで「欠席裁判」のようです。

そしてさらに、このゴールドマン・サックス出身のアナリストは、その低賃金と低年収の改善策として、小企業らが数社で合併を行い、中規模事業化を起こして中堅企業の数を増やし、小企業や零細企業をなくしていく方向に舵を切れば、解消するだろうと結論づけました。そう、それは差し詰めアメリカの金儲けとして日本には、そういう国になってほしいと言わんばかりの論調です。僕には日本のグローバル化とグローバリゼーションへの台頭の指示や誘導に聞こえました。アメリカのウォール街や世界の経済を裏舞台で動かす「ディープ・ステート」や「アンダーワールド」といった組織の存在を主張し、その世界にも詳しく、博識なノンフィクション作家の川添恵子さんや国際ジャーナリストの堤未果さんらといった日本屈指の女傑たちが、もしこの番組を見ていたら、「けしからん！」と思ってくれたのではないでしょうか？なぜなら彼らこそが世界経済のグローバル化を推進させている張本人であり、ゴールドマン・サックスなどは、その最たる企業だからだと彼女たちは言っています。

グローバリズムとは、地球上の国々を一つの共同体とみる考え方で、特に経済活動などを世界標準化して各国の壁をとり去って統一化を図る「世界主義」や「地球主義」と言われているものです。つまり、グローバリズムとは、各国の経済活動の個性的な特色など、国境を無視してなくすということです。食料品を例にとってわかりやすく言うとつまり、特に日本のように産学官連携で勤勉に研究した結果、生産技術者のレベルが高水準で、世界中の食材品と比べてべらぼうにクオリティーが高くて「美味い」ブランド特産物を数多く生産・輸出しているような国ほど不利益を被るということです。なぜならグローバル化とは、「その国（日本）の宝物は世界各国のもの」という横取りを合法化したような政策だからです。こちらから「真珠」をあげて、他の国から「ブタ」をもらうようなものです。少し日本を被害者的に誇張して申し上げますが、たとえば松阪牛や近江牛といったブランド牛の精子、南魚沼産のコシヒカリや富士吉田産のミルキークイーンといったブランド米の種子、イチゴのあまおうや夕張メロンなどのブランドフルーツなどの種子が売買され、気候が合えば、世界中のどこの国でも飼育・栽培され、商品として売り捌かれるのです。そしてグローバル化で、その著作権までなきものにされれば、ブランドの名前まで消え、どこかのアジアの国だか世界のはずれで、ろくに勤勉な研究や努力もしなかった美味い物のない国がグローバル化の恩恵にあやかり、ちゃっかり「さあーっ、皆さん！　かつて松阪牛だった美味しいブランド牛と同じ種の牛肉で安いよーっ。さあ買った買った」と屈辱に満ちた扱いで売られるということです。しかもその商流は、アメリカなどの超大企業商社などが日本の大手商社からそれらの「種・苗」を買い取り、それらをビジネスとして世界中に売り捌く算段と目論見です。

そしてさらに救いようのないのは、日本がそのことに必死に抵抗していると思いきや、なんと今や政府もそちらのほうに舵を切ろうとしているのです。それが最近、新聞のほんの小さな片隅で掲載されて問題になっている「種苗法の改正（改悪）」です。そしてそれらの最後の関所となっていて、農業系では世界一の研究機関と言われ、輸入されてくる食料品にいわゆる

「毒」が紛れ込まないように検査している日本の全農（ＪＡ）の解体・民営化もあげられています。なぜならそれは、世界的に使用禁止されているネオニコチノイドの殺虫系農薬や、グリホサートなどの除草系農薬（毒）や、それら農薬の耐性を付けるために作られた遺伝子組み換え食品を日本で売りまくりたいというアメリカ政府と企業の目論見だと、後述する三橋先生の研究所とジャーナリストの堤未果さんの講義で学びました。ＪＡの世界一厳しい検査が邪魔だからです。これらの農薬は、人類の生命線とも言われるミツバチたちの帰巣本能を麻痺させ、受粉活動をままならなくして世界規模的な食糧難になる危機を招くので、たいへん深刻な問題なのだそうです。

　僕は確かに、これまで育ててくれた親や国に感謝していますが、グローバル・スタンダート（世界統一標準化）や、外資企業や日本の大手企業による利益追求のためのビジネスマーケットなどの世界中の国々に対する共通ビジネス化（グローバリズム）には反対します。なぜなら、その国でしか採取できないような特産品や、古来の風土や習慣で成り立った固有の生産物や、サービスなどの第三次産業の形のない生産品の特質といった「差異性」というものがなくなれば、それが各々の国の存在意義をもなくしてしまうからであり、なによりサムシング・グレートの神々の意志に背く行為になるかも知れないからです。なぜ神は世界の各地域にそれぞれ幾種類もの人種を創造されたのか？　我々人間は、もっと深くそのことを掘り下げて顧みる必要があるのではないでしょうか？

神々がさまざまな種類の人類の祖先を創造されたのは、やがて人類が増えて社会をつくり、国をつくるように導かれたからであり、今回のコロナも然りですが、人の種類や国境が、疫病や感染症の拡がりを抑える壁となってくれると目論んだに違いありません。先ほども申し上げましたが、グローバリズムとは、この国境を無視してなくすということです。

また世界には、多くの国が存在するからこそ紛争や戦争が起こるのであり、国境を越えて一体化していけば争いごとがなくなるからという理由で、グローバリゼーションに賛成する方もおられるのでしょう。果たして本当にそうでしょうか？　いいえ、違います。

僕には逆に思えるのです。地球上でもし一種類の人間が多くの大陸で一国として統治したらどうなるでしょうか？　まず、なんでもあることが当たり前になって自助努力もせずに怠るようになって、ひどく退屈な生活が精神的に悪く作用して荒廃するようなことにならないでしょうか？　さらに広大な大陸間なので、おそらく目が細部まで行き届かなくなり、どこかで謀反を犯し、我が我がと自分が独裁で統治をしようなどと野心を抱くものが逆に増えて、人類が治安の悪い地球をつくってしまうような気がします。

でも実際は、この数千年で地球上に多くの戦争が起こったので、そのような神様の目論見などはあり得ないという人もいるでしょう。でもそれは、神様の意に反して人間が間違えたことによって引き起こされた「ハズレ」だったのではないでしょうか？　神様はむしろ、平和が持続されるように多くの人種を創り、多くの国を興させた。それは、そうすることによって、お互いの国や地域にないものを補い合う思いやりと、助け合いの「利他のこころ」を学ばせ、人類に身につけさせようと目論んだのではないかと、僕は思います。でも人類は、神様のその目論見と期待を裏切り、自己中心的な思考が原因となる戦争に走ったというわけです。そうです、与え合うのではなく、奪い合ったのです。グローバリズムが行き過ぎれば、これらをまた繰り返してしまうことになりかねないのではないでしょうか？

僕は世界各国の立ち位置が途上国か新興国か先進国であるかを問わず、それぞれに存在意義や価値があるように、その国の特産品やブランド食材や生産品を認め合い、ないものを貿易で補い合う、旧来からの世界経済をスタンダートモデルとしていただきたいです。そのうえで、従来の反省点や欠点を分析し、そこからなんとか未来の新しいビジネス・スタイルやワーキング・スタイルを確立できないか？　僕は、人類はやはりそのようにして、世界経済の発展を模索して欲しいのです。

僕も聴講している「経世論研究所」所長であり、経済学の博識者で三橋貴明という先生がいらっしゃいます。安倍首相と会食をしながらも、政府をたいへん厳しく批判し、日本に憂いをいだいて未来を見据える中道派です。

その三橋先生が「月刊三橋」というメンバー制サイトで、元内閣官房参与で重責を担い、京都大学大学院教授で都市社会工学専攻の藤井聡という教授と対談のもようを配信しました。その中で藤井教授はこのようなことを述べていましたので、僕なりの解釈でまとめてみました。

「今の日本人は高度経済成長期の『世界一の働き者』と言われたころの生真面目さはなく、不真面目な輩が多い」と憮然として述べていました。なぜなら、「どうしたら日本は豊かで良い国になるのかと考えながら働く人は非常に少なく、自分の得することばかりを考えて働く人がほとんどだから」だとも言っておられました。さらに「グローバリズムばかり言っている人もそのような人が多い」と言っています。なぜならグローバリズムの世界の潮流に日本が乗せられてしまうと、得よりも損が多いことを充分に予測できるにもかかわらず、自分だけが稼げるからそれでいいと思っているからに外ならないからです。つまり「日本の特産物や技術の行き過ぎた外国企業への切り売りは国力の衰退にもなることを知りながら、自分だけの利益を考えて企んでいるからだ」と結論づけていました。僕も、グローバリズムを推す「根拠」を明確に人前で説明できない輩はやはりそういう奴だと思います。三橋先生と藤井先生は世界のグローバリゼーションの潮流を企む一派と、日本政府や経団連が考える国内経済・産業のグローバル化を推進していく輩を、「今だけ・金だけ・自分だけの人たち」と呼んでいます。平たく言うと、「売国奴」です。母国・祖国を慈しみ、愛するという気持ちよりも、自分が得をするなら、日本という国がなくなってもいい、他の国で暮らせばいいと考える「根無し草」な人たちです。驚くことに与党である保守の自民党にもそのように考えている人がいるのですから、日本の断末魔です。今はほんとうに「救世主」のような人が現れないと、この国はバラバラに解体されてしまいそうで、僕はとても心配になります。

話を「消費税還付金制度」に戻します。

この本を選んでくださり、今、手にしていらっしゃる代議士さんがもしもおられるのなら、ぜひお願いしたいのです。このグローバリズムの問題も併せて国会で取り上げていただき、消費税制度をすぐに廃止にするのが難しいのなら、消費税還付金を受けた大手企業が取引先の中小零細企業の末端まできちんと還元する是正勧告処置をしていただきたいのです。また、行政監察委員会や第三者委員会などで、このようなことをしっかり監視できるような取り計らいも必要です。また国民の皆さんにも、解散総選挙で自分のお膝元に凱旋している地元の代議士らに、この問題を「なぜ放っておくのだ！」と、お声を上げていただきたいのです。僕は中小零細企業を蔑ろにしてまで、グローバリズムを目指す日本に未来はないと断じます。なぜなら経済の国際競争は、中小零細企業の技術力なくして実現不可能と考えるからです。世界もひれ伏す「超技術力」を持つ零細企業の町工場が犇《ひし》めく、メイド・イン・ジャパンならぬ、「メイド・イン・大田区」がそのよい例です。缶詰の「パッカン」の技術は周知のとおりですよね？世界の技術水準では、当時この日本の技術は、「アメイジング！」だったのです。

よって、これらを軽視するような間違ったグローバリズムなどに、現《うつつ》を抜かさないでいただきたいのです。ちなみに我々中小零細企業も国に甘えてばかりではいけないと思うのです。大手も羨み、政府も欲しがるような超技術力や開発をしていき、自身の会社の保護や担保となるようなものを身につけて、永劫な老舗企業を目指すのです。しかしそれにはやはり、技術だけではなく営業力も必要です。商売とは、いいもの（良いもの）が売れるとは限らないと昔から言われています。大企業がブランドという武器を使うことにより、「まやかしもの」が売れてしまうからです。でも僕は、そのような「商い語録」的なものは、小零細企業の言い訳や負け惜しみでしかないと思うのです。技術力のある企業は、頭でっかちになり過ぎることもあって、つくることばかりで売ることが手薄になり、得てして営業が苦手です。よって、せっかく本物（質の高い物）をつくっても、口八丁手八丁な営業の大手のまやかしものに負けるのです。食材・食品や飲食店にも、まるっきりこれと同じことが当てはまります。従いましてこれからは、技術力と卓越した営業力を以て豆タンクな企業となり、グローバリズム、果てはグローバリゼーションと吹聴するような社会に敢然と立ち向かおうではありませんか。

グローバリズムとは、「国際社会における相互依存関係の緊密化や～（省略）世界を国家や地域の単位からではなく、連関した一つのシステムとしてとらえる考え方」（大辞林引用）とのことですが、これを「今だけ・金だけ・自分だけ」のグローバリストの解釈にすると、つまり「相互依存関係の緊密化」↓「お前らの知恵や技術を少しだけ可愛がってやるから安く売れや」という意味であり、「連関した一つのシステムとしてとらえる」↓「知恵や技術の横取りに有無を言わせたくないから合法化するんだよ」と言っているのに等しいのです。くやしくないですか？　まさに「愚弄」です。

「営業のアウトソーシングをしていると思えば、がまんもできるよ」という温厚な零細企業経営者もいるでしょう。しかしだからといって、特許権や著作権の権利まで奪われた挙句の果てに、逆に奪っておきながら同じような類似品をつくっていると逆告訴される可能性も孕むと、三橋先生は危惧しています。まったく、どのお口がそういうことを言っているのだと言いたくなりますよね？　物をもらって、これは自分のものだと主張し、礼を言わない逆ギレした子どものようです。でも、外国狡猾企業なら、日本の商習慣ではおよそ想像もつかない手段をたくさん打ってくるので我々は気をつけなければならず、営業もやはり「自前」でがんばりましょう。

ちなみに弊社はどうなのかというと、創業当時から、小っちゃくても一応メーカーとしてやってきましたので、「自分で売らなきゃ、いったい誰が売るのだ」という境遇で育ってきました。よって「営業が大事・営業に行くぞ」といった姿勢は身につけているつもりです。また幸いなことに取引先は、ほとんど国内の設備や建設といった内需業界なので、先述した還付金未還元問題も起こらず、「消費税が上がりましたので、請求書に税率分を計上させていただきますが、何か？」と普通に言える慣習になっているので、しっかり消費税は取っています（仕方なく）。

ついでに、前出のゴールドマン・サックス出身の件のアナリストにもひとこと言わせていただきます。弊社の「飛車・角」とも言える製造と営業の最前線にいる部長三人衆は、いずれも大手大企業からの転職組ですが、彼らは就業条件や職場環境も弊社のほうが良いと言ってくれています。特に大手では、会社に遅くまでいる奴が仕事をしていると思われて、早く帰る奴が後ろ指をさされる悪い習慣があると言っています。しかし実態は、仕事のできない奴が単に遅くまで会社に残っているのに過ぎないのに、それが熱心に映り、仕事が早くできる社員が定刻で帰ると印象が悪く観られるそうです。それでどうするかというと、なんと時間のもったいないことに、遅い人の仕事が終わるまで待っているそうです。社員数の多い大企業だからこその監督不行き届きとも言える事象ですが、結局、それがとても嫌になって転職してきたのです。その彼らが、「冬以外なら明るい時間に帰宅できる環境で仕事ができるなんて思ってもみなくて幸せです」と言ってくれたことがありました。経営者冥利に尽きるとは正にこれです。人のお役に立つことができて、とてもうれしい気持ちになりました。

もちろん給料も、大手企業含めての全国平均年収に勝るとも劣らない水準の年収は払っていますし、部長手当やボーナスも支給しています。彼ら三人は、いずれも四十代ですが、すでに十年くらい前には一戸建て住宅を建てて住んでいます。なにより、もし彼らが弊社を選んでくれなかったら、この本は存在しないのです。

このようなわけで、世の中は「大企業万歳」だけではないのです。大企業の就業条件のほうが悪くて、中小零細企業を選んで、「しあわせ」と言ってくれる若者がいるということも、この元アナリストにも知っていて欲しいと思いました。


しかしながら今まで述べてきた政府の経済政策や、大企業の意地悪な所業に対する厳しい批判があっても、なぜ僕は、日本に生まれてきたことを幸せに思い、国家に感謝しなければならないと言い続けるのでしょうか？　それはやはり、命の尊厳に対しては、利他のこころとも言える手厚い保護政策をしていることに尽きるのではないかと思うからです。世界に名立たる「国民健康皆保険制度」や、消防署に配備する消防車や救急車の無料出動がそれらです。世界に誇るすばらしい国民保護政策だと思いませんか？　大東亜戦争の戦禍の反省を踏まえているからこそ、人の命を何よりも尊重すべしという、日本国の国民に対する心根の表れだと思います。

僕は、たとえ初任給が五十万円であっても、盲腸の手術に二百万円の治療費がかかり、アンビュランスカー（救急搬送車）や消防車の要請が有料で、一分一秒を争う重症患者や緊急時に要請費用が払えないと判断すると平気で搬送や出動を止めてしまうようなアメリカに住みたいと思いません。きっと皆さんもそうですよね？　だって下手をすれば、五十万円なんて、あっと言う間にすっ飛んでしまうのですから。たとえて言うなら、外国人が日本へ旅行に来ると、「これもタダで、あれもタダなの？」と驚き、日本人がアメリカなどに旅行をすれば、「これも有料で、あれも有料なの？」とビックリするのだと言われています。ではなぜ、日本はタダ（無料）が多いのでしょうか？　それはやはり、日本人は「おもてなし」の精神があり、それらは「プライスレス」と考えているからだと僕は思います。

このようにして日本は政府を持ち、立法・司法・行政の三権分立を統治し、法律によって人の命の保証（補償）をされています。寿命も長く「長寿国」でいられるとは、すなわちそういうことです。政府を置けない無政府主義者が多くいるような国は、皆、寿命が短いのです。つまり、命を保証できないから簡単に殺されるのが普通なのです。

そのように人の命を尊び、無償で保護する政策をとる国家に、「有り難う」という感謝の気持ちを持つのは国民として大切です。もし感謝できない人がいるのなら、それはその対極にある「あたりまえ」という態度であり、それはすなわち、有ることが難しい（有り難い）という感性を持てないこころであると教える人がいらっしゃいます。

この言葉は、一九八〇～一九九〇年代に活躍された名ラガーマンで、神戸製鋼でキャプテンを務め、ラグビー日本代表で十三年プレーをした「名ロック」林敏之さんの講演会を聴講して学んだ名言です。そしてこの感性が人としての力を生み、社会人としてもアスリートとしても強い人間になれると言っておられました。

つまりこの本の言うところの「豆タンク」な人間になれるのです。

「力は、頭ではない。頭で力は生まれない。
感動して感謝することをできる感性が、力を生むのである」

これは、講演会の最後に林敏之さんから教えていただいた二つ目の名言です。

すなわち、この本の言う「豆タンク」な人とは、国に何かをしてもらったり、人に親切にされたりしたときに、「有ることが難しい」という感性から、「有り難う」という感謝するこころを持ち、自分は「幸福」なのだと思う人のことをいうのです。どこかのメディアで、「幸せになれない国（日本）」という特集番組をやっていましたが、それは日本人の欠点である「相対的貧困」、すなわち他人と比べて暮らしが劣るから貧困だという、悲しい考え方です。

まずは、世界中の紛争内戦国・発展途上国・新興国が「夢の国」と謳う日本に生まれたということを幸福に思うことです。

皆さんも林敏之氏の言葉を、ぜひ、参考にしてみてください。

ただし政府も、それら国民の感謝と、今後の景気回復のスマートな政策への期待を一身に背負っていることを自覚して、裏切ることのないように、「真の世界一幸せな国」を目指すような国会運営をしていく努力をするのは言うまでもありません。

7．理不尽を受け入れてみる
――すべて自分の「所為《せい》」にしてみる。

とはいえ政府に対してはたしかに悪い噂が流れ、良くない話を聞くこともあります。たとえば国際ジャーナリストの堤未果さんが、ご著書の『日本が売られる』の中で述べている、世界に誇る「国民健康皆保険制度」の崩壊を招く恐れがある外資系医療保険会社の国内規制の緩和措置、人体は無論のこと、畜産や日本蜜蜂といった環境指標生物等をおびやかす、外資系農薬メーカーの日本市場参入による農薬成分の使用や残留農薬基準の緩和やＪＡの解体、水の供給を企業の裁量一つに委ねられてしまうかも知れない水道民営化や、それに伴う外資系企業による水道事業の参入規制緩和などに政府が動いているという問題などがあります。これらがどのような商流を生み、利権が絡むのかわかりませんが、これらはグローバル化への準備段階とも取れ、そのような計画や動きはあるかも知れませんし、もしそうなら国民が一丸となって阻止するべき問題でしょう。

しかしながら、僕はこれらの情報や政府の措置も、すべてを非難の対象でとらえるべきなのかな？　と思うこともあります。なぜなら、実際にはまだ明らかな実害が国民に目立つほどまでは及んでいないのに、ことさら「国民に内緒で政府はこんなに黒いことをしているのだ」という論評は、あまりにもショッキングで国民を著しく疑心暗鬼にさせ、国家に感謝するこころを失わせてしまい、「日本の未来を考える会」に集う代議士らが国民をまとめる力もなかったら、ますます国民が国を疎遠にしてしまう現象を生むのではないでしょうか？

そして、もし与党がそのような所業の規制や法案を国民に気がつかれないようにして隠れて上程し、パブリックコメントを募ったと言い訳をしてこっそり法案を通そうとしても、野党や反対論者が黙っているのでしょうか？　それともこれらの件は全会一致の承認や可決なのでしょうか？　法案の上程に内閣が満場一致で閣議決定をすれば、予算委員会の審議にかけることができ、半数以上の議席を確保している与党（政府）が、賛成の多数可決の原則を待たずに規制や法案を制定させてしまうことが比較的容易であるとしても、いくらなんでも僕は上記した件に於いては、そんな筈はないと思います。それに与党の揚げ足取りが大好きなメディアも黙っていないでしょう。仮にメディアもその黒い利権に乗せられて隠ぺいに協力したとしても、前述で例を挙げた三つの所業は、あまりにも事が大きすぎるので、いずれ国民には気づかれる筈です。にもかかわらず、いまだ大きなデモや目立った反対の集会が起きていないのはなぜかという疑問も感じられます。そして政府が計画しているこれらの措置は利権が大きい大企業至上主義の贔屓にもつながり、それを僕は正しいこととは思いません。故に、それでもこれらを遂行しようとしているのは、政府にグローバル化への推進と下心があったとしても、もしかしたら、決して自分たち個々の利権だけを考えているのではなく、国家や国民みんなの利権となり得るものもあると、それが間違いだと気づかず、諸外国を信じて考えていると思うこともできないでしょうか？　お人好しですかね？

たとえば外資系企業の参入にしても、国内に必ず事業所（日本法人など）を置くことを条件として商いをさせれば、事業所税・法人取得税と莫大な累進課税となる税金を徴収することができます。おそらく、数百億単位です。そしてなにより日本の若者には、雇用機会をもちろん正規にして、おおきく広げる絶好の機会にもなります。僕は政府がこのようなことも目論見に入れていると少しでも信じてみたいのです。ただし、外国人労働者やその労働力に移民の受け入れで頼ったり、正規雇用を増やさず、非正規雇用の推進で派遣会社の派遣業務を優先したりすれば、たちまち政府の信用が水泡に帰することは間違いないでしょう。

移民（外国人）への所得分配は、貨幣の海外流出にもつながり、GDPの成長に於いてなんの意味も持たないからです。さらに平均賃金水準が下がり、健全な正規日本人労働者の平均賃金も下げてしまう可能性もあります。よって、絶対に移民受け入れを合法化させてはなりません。なにしろ、治安がこのうえなく悪くなります。積極的に移民の受け入れを行ったドイツやスウェーデンが、それが原因で犯罪件数が急激に多発して失敗したことを鑑みれば一目瞭然ですよね。あくまで国内労働力で政府は不景気の責任をとるべきです。そもそも「移民」とは、陸続きで内陸のあるヨーロッパなどの国々ではあり得ても、島国の日本では絶対に失敗するので、不慣れなことはやめておいた方がいいです。

しかしながら性悪説的な色眼鏡で見てしまうと、「利権」とは人柄をも変えてしまう大きな敵にもなりますので、国民としては政府の姿勢を注視していくべきことになり得るやも知れませんね。特に、日本の長年のデフレ不況をなぜ放っておくのか？　はたまた外資企業や外国人投資家の言いなりになって、国民に必要な公共機関を無意味に民営化するのはなぜか？　を詳しく知りたいと思うのなら、パソコンとスマホのどちらでも視聴可能ですので、ネットで三橋先生の講義を聴講すれば、すぐに勉強できます。

しかしながらこのような外国資本の参入や受け入れ緩和も、日本企業とてアメリカをはじめ海外に進出し、市場参入を果たしているのが現状であり、お互い様の感があるから、多少はやむを得ないのかも知れません。けれども、藤原正彦先生が教えるように、「アングロサクソン系の人種は世界で最も長期的戦力を得意としている」し、ビジネスにも狡猾なので油断は禁物です。作家の山崎豊子先生が『不毛地帯』という作品の中で、アメリカ企業の狡猾さをみごとに描いています。テレビドラマも見ごたえありましたよね？

よって、これはもう政府が、我々国民の生活が脅かされることのないように頑張ってくれることを願うか、これからは国政選挙を真摯に受け止めて参加し、自分の信じる人に投票して国政を任せていくことも大切ではないでしょうか。

でも、もしそのような制度や規制緩和などに反対ならば、結局は我々国民が団結し、付き合わなければいいのではないでしょうか？

なぜなら、かつての悪法だった「大規模小売店舗立地法の規制緩和措置」に我々国民が乗った結果が、「ゴーストタウン化」や「シャッター通り化」を招いたのではないでしょうか？大型店の便利さや外資系企業の華やかさに惑わされず、そもそもから、毅然としてそっぽを向けば良かったのです。「わが街の銀座商店会は我々が守る」という気風です。でも、多かれ少なかれ、いつも贔屓にしていた銀座商店街の店主の目を盗んでは、こっそり「浮気買い」をしていたのが実のところではないでしょうか（笑）。

しかし今は、やっとそのことに気づいて、町おこしを懸命にやっていますよね？

それらを教訓として、前述した外資系企業の規制緩和や公営の民営化も国の方針に付き合わなければいいのです。「外資系医療保険？　なに言ってるの？　そんなの加入しませんよ」「外資系農薬メーカーの使っている野菜？　そんなの使いませんよ、買いませんよ、食いませんよ、自分たちでつくりますよ」「水道の民営化だと？　その代わり、国内の正規雇用枠を十万人分広げてよ！」

このような我々国民の民意と意思により、国の政策も一八〇度は難しくとも、少なくとも国民本位を慮る政策に変わっていくのではないかと思うのです。

さて皆さんは、どのようにお考えでしょうか？

そしてここまで縷々述べてきたことを、この項目の「理不尽をすべて自分の所為《せい》にしてみる」という見出しのとおり冷静に実行してみては如何でしょう？

つまり、世の中に対する不平不満を、国や人（政府や他人）のせいにしないで、自分のせいと思うのです。それはなにも思い詰めて塞ぎ込んでしまいなさいとか、ネガティブに自己嫌悪に陥れと言っているのではありません。つまり、世の中に対して不平不満がたまってきたら、いったん自分のせいにしてみる。そうすれば苛立ちや怒りも消え、冷静に物事を見つめられて客観的になれるものです。また、なぜ自分のせいになるのか、ちゃんとした理屈もあり、それについてホリエモンが、検察定年延長抗議問題に触れたときに、とてもわかりやすく、自身のＹｏｕＴｕｂｅチャンネルで説明しています。

「だけど検察官って、民主主義においてにもかかわらず誰にも忖度せずに、検察官の庭の中の正義感だけで人事を選んでいるから、その人がヤバい奴だったらどうすんの？　っていう話なんです。民主主義の良いところは、ヤバい奴も結局、僕たちが選んだ。総理大臣だって、僕たちの選んだ国会議員が選んでる人なので、失敗しても僕たちのせいっていうのが民主主義だと思うんですけど……」と、特に政治に無関心の学生たちにぜひ読み聞きしてもらいたい名言といえ、そのとおりだと僕も思います。逆に裏を返せば、それは選挙に参加し、投票している人だけが言える権利であり、選挙に一度も参加したことがないような人には、自分のせいにすることはおろか、検察定年延長の抗議それすらも言う資格はないのです。

森友問題にしても、それらと似たようなことが言えます。政府や官僚そして総理大臣にまでいろいろと黒い疑惑がかけられていますが、これらも政治無関心・選挙不参加な人たちには文句を言う資格はないのです。

僕には真相がわかりません。でも僕は、そのこと自体はそんなに重要とは思えないのです。野党を旗頭にして、一部の国民は、不正だ、忖度だ、収賄だと躍起になっていますが、どうしても本質からずれているような気がして違和感を覚えるのです。それは、「森友学園」という学校がほんとうに必要な学校であったのかという問題が、まるで置き去りにされているような気がしてならないからです。

僕は安倍首相が法に抵触しているか否かはわかりません。でも本人が一点の曇りなく、「潔白」を主張しているのなら、おそらくそうなのでしょう。けれども、国会の質問には完全な否定ではなく、「森友学園の教育理念が素晴らしく、我が国にぜひとも必要な学校と判断致しましたので、内閣として助成制度の適用を承認いたし、多少の優遇措置の是正を施しました」としたうえで、「ただし、私的な流用は何一つなく、これからの多くの子どもたちに学習してもらえる学び舎として、国民に推薦できるものと信じている」と、このように多少の優遇措置があったと認めても良かったような気がします。

結局、「森友学園」が国にとって誠に必要な学校であったか否かが議論されずに置き去りにされたため、国会は二転三転し、ついには自殺者という大きな犠牲を生む形となりました。これは誰の責任というわけではなく、国家全体（政府）の責任だと思っています。

個人的な意見として「森友学園」は、子どもたちを厳しく律し、きちんと起立させて「国歌斉唱」を教える将来の「豆タンク」な国民を育てるような立派な学校と記憶しています。設立中止になって、とても残念に思います。

安倍首相のお話になりましたので、もう一つぜひ、述べておきたいことがあります。

実は安倍首相は、消費税は所得格差によって不公平になり、さらに国民の経済活動を委縮させてデフレの要因となり、スパイラルから脱出できないことを知っています。よって「消費税反対論者」と言われています。だからこそ、一〇％の税率アップが決まってからも、何度も先送りをしていたと思うのです。しかし結局、幾度かの先送りの後、最後には周囲に根負けして、増税に踏み切ったのです。それは件の「消費税還付金」目当ての大手企業の業界団体の圧力もあったでしょうし、なにより、実は財務省の圧力もまた安倍首相には相当大きな壁だと三橋先生はおっしゃっています。なぜなら緊縮財政・消費税増税は、財務省出身の閣僚や関係官僚らがその目論見の張本人だからです。

安倍首相には大きな志があります。憲法九条の改正です。現在の風雲急を告げる一触即発の海外情勢を鑑みれば、今の日本にとってどうしても必要なことです。そしてこれに関しては、与党からできるだけ多くの賛成論者を集めたいところです。よって、「謀反」はできるだけ出してはならないのです。そこで必要なのは、与党を統一する「調和」をどうしてもとらねばならない。そのための「一〇％の消費増税」は最後の容認なのでしょう。でも日本の経済再生にとってはマイナスであり、良くないものなのに「決裁」するのは如何なものでしょうか？　ましてや、今はコロナ禍で時期も悪いです。今回のコロナ禍をきっかけに、未定ではありますが、来年のオリンピック後の不況も鑑み、二、三年は少なくとも消費税五％以下の是正をするか、状況によっては暫定的にでもぜひ、廃止にするべきだと僕は思います。

僕は、自分が被る理不尽はあって当たり前と覚悟も決めていますし、それを人のせいにすることがないように気をつけていますが、他人《ひと》が被る理不尽は大嫌いです。

（二〇二〇年八月二十八日・金曜日・十七時）

この本の執筆中に、安倍晋三首相が辞意を表明しました。御自分の在任中になんとしても成立させたいと願う「憲法九条改正」の志半ばでの退任。ただただ、「無念」でありましたでしょう。心中ご察しいたします。お疲れ様でございました。内閣の組閣に於いて、人選・陣営を少し間違えたかも知れませんね。万全な「デフレ脱却」の布陣とは言えなかったですよね？

それでも安倍晋三首相は、内閣総理大臣としての遺言を残しています。それは三橋先生が二〇一七年十二月に『財務省が日本を滅ぼす』という本を上梓した後に、当時の内閣官房参与の藤井聡教授と西田昌司参議院議員両氏が、三橋先生との会食を首相官邸の安倍総理に持ちかけたところ了承されて、さらに先生がクローズドな会食でと持ちかけたところ、「オープンでやりたい」と首相官邸側が申し出たということで実現されました。

それまで先生は緊縮財政・グローバリズム路線の安倍政権を猛烈批判していたにもかかわらず、オープンな会食をしたいということはつまり、それなりの「政治的意図」があったというのです。そして会食中に総理は、「私には三つの敵がいる」とおっしゃったそうです。

三つの敵の一つ目は、日本のマスコミに多くて執拗な、いわゆる反日左翼。この勢力は、総理が何をやっても、「常に敵」であるそうです。

二つ目の敵が、ずばり財務省。

そして三つ目の敵が国際金融資本。いわゆるグローバリズムであると先生におっしゃったそうなのです。

しかし、自分一人がそう思って緊縮財政路線を封じ、国民のために財政拡大をしたいと考えても、民主主義国の日本で物事を動かしたいのであれば、衆議院や参議院で味方をつけ、多数派を構成せざるを得ないというのです。しかも近年では若手与党議員さえも財務省の吹聴に洗脳されているから、「増税反対、財政出動が必要」といった声が上がってくることを期待しても上がってこず、さらには「安倍総理は緊縮財政派である」と勘違いしている議員もいて、変な方向に忖度しているというのです。というわけで、与党議員たちには、自分の考えを誤解せずに、財政拡大の声を上げて欲しいのだそうです。

ならばどうしたら良いのかと考えあぐねた結果、導き出された方法がそのときのオープンな三橋先生との会食で、改めて総理自身の考え方は、「消費税反対・グローバリズム反対・緊縮財政反対」なのだということを与党若手議員に認識してもらい、財務省主導の緊縮財政路線について、「できれば自分の代で終わらせたい」と明言していたそうです。

これらの言葉は安倍総理の「遺言」として捉えても宜しいのではないでしょうか？　これは決して作り話ではなく、その確たる証拠として、三橋先生が書いた『日本経済2020年危機経済学の「嘘」が日本を滅ぼす』の二十六ページに、安倍晋三内閣総理大臣、三橋貴明先生、西田昌司参議院議員、藤井聡内閣官房参与らが会食の後に首相公邸の廊下に笑顔で並ぶ「写真」が掲載してあり、安倍総理本人の「御墨付き」を得ているそうです。

特に「親安倍派」と自負する与党議員や国民の皆さんには一つ、彼のためにも勘違いや誤解をしないであげていただきたいと思うのです。安倍さんは「ロンリーウルフ」だったわけですね？　心身ともに疲弊されていらっしゃるので、健康のためしばらくはストレスのかからない位置に身を置いてお仕事をしていただきたいものです。腸の病気は、僕も身に染みて経験しているので。

8．ＤＪポリスなんていらない、必要のない子ども迎合主義

——子どもをあやすような手段のまやかしなんて、必要ない。警官はもっと孤高であれ。

これらの警察官の行動も、いい歳をして未だペロペロキャンディーを舐めていそうな幼稚な若者への迎合であり、即刻止めるべきで、真面目で大人の学生たちには冷めた目で観られているのではないでしょうか？

そもそも警察官がきびしく律して戒めると、へそを曲げて反抗するけれども、迎合してＤＪぶってチャラくしていれば言うことを聞くなんて、日本の若者も世も末です。

だいたい日本の警察官は民事不介入の原則にとらわれすぎて、世の中のとりわけ若者の道徳やルール・マナーに関してなにも言わなさすぎです。皆さんは過去に、こんなテレビＣＭを見たことがあるでしょうか？　もう四、五年くらい前のことで、なんのＣＭか忘れましたが、おそらくアメリカのニューヨークが舞台の警察官が主役のドキュメンタリータッチのＣＭだったと記憶しています。

歩道で傍若無人にスケートボードで遊ぶ若者の腕を警官が捕まえて、「やめろ」ときびしく

戒めると、若者がその手を振り払ってさらに遊ぼうとするので、警官はスケートボードを激しく蹴りあげて若者を転倒させると、打つ伏せの状態で両手を締め上げて緊急逮捕します。僕は専門家ではないので、ニューヨークシティーの歩道でスケートボードをすることが犯罪になるのか、それともルールやマナー違反の範疇かは知りません。けれども、「犯罪の抑止」とはすなわちこれだなと、ものすごく痛感させられました。ちなみにこのときの場面では、警官も青年も白人でしたので、人種差別的な嫌がらせの取締りではありません。当時、このCMを見た日本の若者も、「アメリカの警察って、こんなにも怖いのか」と思ったに違いありません。またこのCMのようなシチュエーションに、日本で遭遇したこともあります。都内の裏通りによくある区道沿いの狭い歩道を歩いていたときのこと。正面からスケートボードに乗った青年が迷惑を顧みず走っているそのとき、タイミングよくパトカーが通ったので、成り行きを見ていたら、スルーしたので僕はがっかりしました。でもこれが、「民事不介入」の日本の警察です。おそらく法に抵触しない限り、ルールやマナー違反程度は、いわゆる「一斉」といった特別な取締りがない限りは、他の公務を優先させるのでしょう。これでは街から暴走スケートボーダーが消えないわけです。僕はこの放任が、いつか必ずお年寄りや小さな子どもたちを巻き込む大きな事故を起こしてしまいそうで心配になります。時速三〇キロは出ていそうな歩道を走る暴走自転車も然りです。

たとえばもし、ハロウィーンの仮装行列の渋谷交差点の占拠や、それに伴う暴動や警察官の誘導無視などがニューヨークの交差点で起きたらどうなるでしょうか？　おそらくSWAT出動もあり得るのではないでしょうか？　先ほどのスケートボードの取締りといい、日本の若者だったら怖くて震え上がるのではないでしょうか？　このようなことを鑑みるとDJポリスなんてやっている場合ではなく、公務執行中は孤高であるべきなのです。それはなにも威張れと言っているわけではありません。普段は国民に優しく親切に接し、そして時には、たとえ民事の範囲内のものでも、その行為が明らかに人の迷惑や危険にかかわるようなルール違反やマナー違反はきびしく戒めると言ったメリハリをつけて、国民から尊敬を得られるような姿勢がとても大切と僕は思うのですが、如何でしょうか？

ましてや近年では、世界各国から外国人がやってきます。ラグビーワールドカップが最近まで日本をにぎわせていたのがその象徴です。そのときにテレビのニュースなどで、「我が意を得たり」というシーンが放映されていました。酔っぱらって所かまわず傍若無人に振る舞う外国人に翻弄されているおまわりさんたちの姿が映っていましたよね？　僕はどちらにも呆れました。すなわち、「日本の警察官は優しくて警棒も拳銃もめったなことでは抜かないから、暴力と人殺しさえしなければ何をやっても大丈夫。だから所かまわず騒いじまおうぜ！」と日本の警官をなめきった態度にものすごく腹が立ちましたし、それを口頭注意だけで為すすべもなく、なめられたままでいる日本の警官にも情けなくて腹が立ちました。

ぬるくて緩いのです。これもＤＪポリスなどという緩い態度が伏線になっているとも言えると思うのですが間違いでしょうか？

たとえば、先にも触れた危険スケートボーダーや暴走自転車の輩は、遠い昔の日本では雷おやじやげんこつおやじたちが窘めて世の中を引き締めていました。そのことに日本の警官は依存し、頼りすぎてはいないでしょうか？　「地域の大人たちが注意すればいいじゃないか」と高を括っているのではないでしょうか？　でも現代《いま》では、叱られた若者らは自分が悪くても逆ギレして、時として命を奪われることもあるので、迷惑をかけられた人たちは叱りあぐねるか泣き寝入りするしかないのです。それくらい、現代《いま》の日本は荒廃していると言っても過言ではないのです。そのようなときに、警官たる者は、「民事不介入」なんていつまでも平和ボケした頭を固くしていないで、自己中で傍若無人に振る舞う若者の所業に対し、「私たちに成り代わって一言注意してもらいたい」と願っている皆さんが多いと思うのですが如何でしょうか？

もし、この本を読んでいただいているお巡りさんがいたら、ぜひ、お願いしたいと存じます。

そのような「豆タンク」な警官を現代《いま》の世の中は必要としているのです。

なぜなら今の日本は、「子ども迎合主義」に偏りすぎ、親や教師から正しい教育や体罰を施されていない若者も多いので、ときとして警官も教育者のような立場になって民事介入をしていただきたいのです。決して頼り過ぎるのはよいことではありませんが、ただ、先ほどの歩道暴走スケートボーダーや暴走自転車などを見て見ぬふりをしないでいただきたいのです。被害者も加害者も悲惨な結末になる事故が起きた後では、もう取り返しがつかないのです。小学生の男の子が自転車でお婆ちゃんを轢いてしまい死亡させた事故では、九千万円の損害賠償慰謝料を請求されたり、女子大生がスマホを操作しながらの自転車で、お年寄りを轢いて死なせてしまい逮捕されたり。これらの加害者はたしか十一歳と二十一歳です。それはつまり「人生半ばにして」どころではなく、「人生を歩み始めて間もなく」人を死なせてしまったということです。この子たちが今までの間に、自転車の軽率な運転と行動を、親や身の回りの教育者、さらにお巡りさんに注意されたり、窘められたりしていたら、このような事故は起こさなかったかも知れないのです。その十字架をこんなに早い年齢から一生背負って生きていくなんて、心中を察して余りあります。このような悲劇を繰り返さないためにも、若者に対する警察官たちの「教育的指導」も大切なことだと僕は思います。

大きな自動車ではなく、幼少期から親しみのある自転車が、場合によっては、こんなに簡単に人を死なせてしまうという現実と怖さを周知させ、それに伴う処罰を教え、青少年への交通規則の遵守を奨励し、しっかりとした責任感を持てるように施すことが必要な時代でしょう。

さらに最近になって特に多発するようになった自転車事故を踏まえて、この辺りで一つどうでしょうか？　僕が随分と以前から考えていたことなのですが、自転車もそろそろ免許制にしてみるのも、これらの悲しい事故の抑制に一石を投じられるのではないでしょうか？　皆さん、想像してみてください。自動車運転免許を持っている人は特に問題はないのですが、運転免許を持っていない人や子どもなどが交通規則やルールも知らずに公道を自転車で走るのです。非常に怖くないですか？　目隠しをして走っているようなものです。一時停止義務のある交差点でブレーキもかけず飛び出すのは、その典型です。運が悪いと即死です。もちろん子どもに自転車を買い与えるときには親御さんの指導があるはずですが、脳裏に焼き付くほどの厳しい交通道徳（規則）を教える親がどれだけいるのか疑問ですし、それを教える親御さんが運転免許を持っていなければ、どの程度か想像するに難くありません。

このような世の中を鑑み、大人と十歳以上の就学児の自転車運転免許取得は同一として、各地方自治体が公民館などで講習会を実施したあとに交通法規試験を実施して、合否によって免許を与える制度を確立すればよいと思います。費用は、なんとか税金で賄えるようにしてあげてください。そして合格すれば携行できる免許証をきちんと発行し、交通違反者には、自動車運転免許取得者と同じような責任を科し、点数式で取締りの対象とするのです。また、身分証明書にもなりますので、携行していればとても便利です。

また、九歳以下の子ども用免許には、講習会に一工夫をします。たとえば僕の暮らす市では交通公園なるものがあり、今はもうなくなりましたが、以前は園内に本物の交通標識を設置した、まるで教習所のような本格的なゴーカートコースがあって、子どもたちが運転しながら交通規則を学べました。今はそのコースを自転車で走り、交通規則を学べるようになっています。

この交通公園のような施設のある自治体は、ここで子ども自転車免許の講習会などを実施されては如何でしょうか？　もちろん、卒業試験も行い、合格した子どもたちには免許証を発行し、交通規則を自覚させるのも教育の一環としてはよいのではないでしょうか？

それからもう一つ、最近の子ども迎合主義的なメディアの放送にも一言申し上げます。

皆さんは最近のテレビで子どもにインタビューする番組を観て、何か僕たちが子どものころにはなかった違和感を覚えたことがあるでしょうか？

僕は、不必要な敬語を使うところにたいへん違和感を覚えてしまうのですが、如何でしょうか。

たとえば僕らのころなら、「ねえ、ねえ、君たち、今ここで何をつくっているのかなぁ？」とインタビュアーのお姉さんが目線を下げて呼びかけるところを、僕が観た限りの最近の番組では、「すみません。ちょっとよろしいでしょうか？　皆さんはこちらで何をつくっているんですかぁ？」とこう尋ねます。あるいは、「何か不思議に思うことってある？　あれば言ってごらん」が普通のところを、「何か質問があればどうぞ……」とか、「何か御感想があればどうぞ……」とか最近のテレビのほとんどで、小学校低学年はおろか、下手をすれば未就学児くらいの子どもに対してもこのような言葉使いを多く見かけます。しかもこれらの番組は、街角のインタビューといったものです。

普通は子どもでも、偉業を称えるような表彰式等なら、インタビューは敬語が望ましい場合もあります。しかしそれでも、敬語の意味やなぜそれが必要なのかを理解し、自分でも敬語が使えるような、せいぜい年功序列のある部活に入部した中学生くらいからでも充分だと思うのです。

親しみを込めて子ども目線でいう言葉に、初めて会う他人の子どもといえども、そこに礼を逸することは何もないのです。また子どもの耳にも聞き取りやすく、かえって構えずに本心を話しやすくもなるのです。

大人たちはぜひ、そのことを履き違えないようにしていただきたいのです。それはたとえ子どもがお客側の立場になるサービス業とて然るべきものだと思います。「有り難うございます」ではなく、「どうも有り難う」でも感謝の気持ちは伝わります。子どもたちはそのような言葉の扱いを受けながら、世の中における自分の位置や「分際」を学んでいくのです。これは子どもたちが社会を生きていくうえでもとても大切なことであるし、立派な子どもや青年に育てた

郵便はがき

料金受取人払郵便

新宿局承認

3971

差出有効期間
2022年7月
31日まで
(切手不要)

1 6 0-8 7 9 1

141

東京都新宿区新宿1－10－1

(株)文芸社

愛読者カード係 行

ふりがな お名前		明治 大正 昭和 平成	年生 歳
ふりがな ご住所	□□□-□□□□		性別 男・女
お電話 番 号	(書籍ご注文の際に必要です)	ご職業	
E-mail			
ご購読雑誌(複数可)		ご購読新聞	新聞

最近読んでおもしろかった本や今後、とりあげてほしいテーマをお教えください。

ご自分の研究成果や経験、お考え等を出版してみたいというお気持ちはありますか。

ある ない 内容・テーマ( )

現在完成した作品をお持ちですか。

ある ない ジャンル・原稿量( )

書　名				
お買上 書　店	都道 府県	市区 郡	書店名	書店
			ご購入日	年　月　日

本書をどこでお知りになりましたか?

1.書店店頭　2.知人にすすめられて　3.インターネット(サイト名　　　　　)

4.DMハガキ　5.広告、記事を見て(新聞、雑誌名　　　　　)

上の質問に関連して、ご購入の決め手となったのは?

1.タイトル　2.著者　3.内容　4.カバーデザイン　5.帯

その他ご自由にお書きください。

(　　　　　　　　　　　　　　　　　　　　　)

本書についてのご意見、ご感想をお聞かせください。

①内容について

②カバー、タイトル、帯について

弊社Webサイトからもご意見、ご感想をお寄せいただけます。

ご協力ありがとうございました。

※お寄せいただいたご意見、ご感想は新聞広告等で匿名にて使わせていただくことがあります。

※お客様の個人情報は、小社からの連絡のみに使用します。社外に提供することは一切ありません。

■書籍のご注文は、お近くの書店または、ブックサービス(☎0120-29-9625)、セブンネットショッピング(http://7net.omni7.jp/)にお申し込み下さい。

いのなら、「迎合」や「敬語」なんて、自分がえらくなったと勘違いをするだけで、百害あって一利なしです。不要であり、間違った教育だと僕は断じます。

学校の先生は「してください」という言葉は極力減らし、「しなさい」をもっと使いましょう。

9. 子連れの親に対して許容の意思表示をする「泣いてもいいよ」ステッカーに物申す

僕から言わせれば、よくもまあこんなおせっかいなステッカーを考えつくなぁと思ってしまいますが、たしかに「助かるなぁ」と思う母親もいるかも知れません。

しかしそれには前提になるルールがあり、これを母親側が理解をしていないと、さらに人との軋轢を生む要因になってしまうかも知れないということです。

そもそも母親が乳幼児を泣き止ませるために一生懸命あやしている姿には、誰も文句は言わないものです。赤ちゃんは泣くのが仕事だと思っているからです。でもそれはやはり公共の場ですから、周りの人たちでも「まったく平気」は少数で、「我慢と許容」がほとんどであるはずです。その気持ち（我慢）が人情として拮抗し、均衡をとれているのが、母親の泣き止ませようと努力する姿なのです。それが人情の機微に触れるというものです。ですから、周りの人たちに嫌な顔をされたり、舌打ちされたり、きつい一言を言われたりする親子連れは、ほぼ、泣き止ませる努力を何もしていない姿がそこにあるからだと推測されます。

従いまして、このステッカーを見た母親たちが勘違いをして、何もしないでいいと解釈し、泣いている子どもを放っておいたら、たちまち周りの人たちと、なおのこと軋轢を生むことになるでしょう。

ですから、このステッカーを普及させる前に、特に若い母親たちには、その親御さんらが、このことをしっかり教える必要があるのです。

すなわち、「子どもが泣いているのを親が放ったらかしでも許容し我慢しますよ。だから何もしないでいいよ」というように公共の秩序を乱して親を甘やかすような考えは誤りで、「子どもが泣いていて、親が泣き止ませる努力をしているにもかかわらず泣き続けたとしても、われわれ周りの者は我慢し許容しますよ」と意味するものが正しいのです。「泣いてもいいよ」は、まだ分別のない赤ちゃんに言っているのであって、親に「あなたは何も努力をしなくていいよ」と言っているわけではないのです。この社会としてのルールが前提になければ、このようなステッカーは、公共の中で決して良いものとはなっていかないと思うのですが、皆さんはどのようにお考えでしょうか？

そしてさらに、僕は思うのです。プライオリティーシート（旧シルバーシート）は、その席を必要としている人の「優先席」と考えるのは間違いなのです。この席は、それらの人のための「専用席」と考えるのが正しいのです。

優先席と考えるから、お年寄りや不自由な人たちが近くにいないと、つい座ってしまうのです。そのような人たちはきっと、「来たら譲ればいい」「いたら譲ればいい」とお考えなのでしょうが、読書に夢中はいつの世も、スマホいじりやゲームに夢中の今の世の中、そのような狭い視野で、一体どれくらいの人がその振る舞いができるのか、甚だ疑問です。ましてや、乗り過ごすくらいの居眠りでもしようものなら、その間ずっと、その席を必要としている人を立たせたまま、譲らずにいたということです。さすがに自己嫌悪になりませんか？　自分に。「譲らないで座る」と主張しているのに等しいのです。

よって、プライオリティーシートは「専用席」と考えて、空いていようがいまいが、席を必要としている人がいようがいまいが、座らないで空けておくのが正しいのです。

これはＪＲや鉄道各社も乗客に正しくわかりやすく認識させるべきなのです。常用乗車席定員人数から「非・常用」として省くことを定め、乗客にもっと周知徹底するべきではないでしょうか？

それには、たとえばメディアの広報や駅・車内の広告や放送などで、「この列車の一車両の常用乗車席定員人数は四十二名です。なお、プライオリティーシートの十二席は、その席を必要としている方の『専用席』です。健常者のお客様には非・常用の席となっておりますので、空いていても座らないで御協力いただきますよう、宜しくお願い申し上げます」とこのように放送するのです。

それでも、この常識者の取り計らいも虚しく、使い方のルールがもし無視されるのなら、プライオリティーシートなどあっても無意味なので、いっそのこと、なくしてしまう方法もあります。

それには、「道徳」や「修身」といった授業を必修科目として、なるべく早い小中学生のうちに（情けないことですがもちろん大人たちにも）教育していくことです。つまり「同じ料金（運賃）を支払っているんだから、空いている席は座らなければ損」という、権利ばかりを主張する考え方になる教育は封印し、「同じ料金を払っていても、自分よりもっとその席を必要としている事情を持つ人のために、座る権利は譲る」という教育をしていくことです。今の日本の多くの人に、いちばん欠けていることはそれです。数の限られた権利は行使するものではなく、なるべく放棄して譲るものです。それがなによりもこの世と人を美しくしていくことになるのです。この「こころの教育」が実現されて功を奏し、乗車して車内で座っている人すべての人が、こころの中にプライオリティーシートを持つことができたなら、すべての席が優先席になるということです。こんな国になったら嬉しいですよね？
「修身」を身につけた豆タンクな日本人が、どうか多くなりますように。

第四章　人はなぜ、便利なものを発明し続けるのか？

1．人はやはり、神様から与えられている「人間の性根」で生きるべき
――便利なものとは楽をするものではない。


人はなぜ、便利なものを発明して、それらが蔓延る世の中を目指すのでしょうか？

それは、世の中にそのニーズがあり、それが職業になり、飯のタネ（金儲け）になるからです。しかしそれが過ぎると、便利なもの→楽なもの→怠けられるもの→人の質の劣化……と、やがて堕落してしまうかも知れません。

しかし、それをくい止める方法もあります。それはビジネスニーズがあり、そこに大きな市《し》場《じょう》があったとしても、企業やクリエイターが私利私欲に走らないことです。まず何よりも「世のため人のため」という指針が前提にあって、その後に利益がついてくるものと思って未来の

便利なものを創り、志すべきことだと断じたいのです。

あるラジオ番組で欧米とのハーフらしい日系人のクリエイターらしき若者が、未来の人間の生活の構図は、仕事はＡＩやロボットに任せられるから働かなくてもいい。すなわちマニファクチャリングに人間はかかわらなくていいというのです。その代わりにライフスタイルは人それぞれに異なるので、ＳＮＳなどに個々の日常のライフスタイルをアップして、生活必需品のニーズや市場になりそうなものを情報提供して、その情報価値をお金（報酬）にして収入を得ていくという新しい価値観のビジネス・スタイルを目指すようなことを話していました。

でも僕は、このことには強く反対です。

ＡＩや便利なものの市場は、ほんとうに巨大です。そのことを鑑みれば、人は便利なもの、楽なものには何世紀も前から貪欲と言えます。それを仕事に代えて食ってきたと言っても過言ではありません。でも今までは、それがその時代にほんとう（切実）に必要だった感があり、「世のため人のため」に創ったものがほとんどだったような気がします。しかし最近は、そろそろ一定のブレーキが必要な時代に突入してしまった印象を受けます。さて、それはどうしてでしょうか……？

それは、現代《いま》の人々が、「苦」を完全に消し去って「楽」をつくろうとするからです。

「苦あれば楽あり」「楽あれば苦あり」――この成句を単純に「いいこともあれば悪いことも

起こる、人生、山あり谷あり」ということだと考えると、その解釈は間違いです。人は苦しいことを経験して、初めて楽の良さや有り難さを知る。と同時に、楽を経験すると苦しみもわかるようになる。故に一概に何が苦で何が楽なのか、何が良くて何が悪いのかを決められないという意味です。つまり、片方が欠けたら、両方は成り立たなくなると掘り下げるのが正しいのです。そしてこの成句にあてはめると現代は如何でしょうか？

僕は、いずれ明らかにこの世から「楽」がなくなっていくような気がします。厳密に言うと、「楽」を楽だと感じなくなる退屈な世の中になるということです。それはすなわち、「苦」を消し去ることこそが美徳であり、正しいことと考える誤った風潮が、世界の世相だからです。それは「便利なもの＝楽なもの」と間違った括りで考えるからです。そうではなく、「便利なもの＝人のためになるもの」なのではないでしょうか？

具体的に言うと、ＡＩや５Ｇ・ロボットの駆使で、人が会社という組織に身を置いて働かなくてもいいという世の中をつくる金とひまがあるのなら、プラットホームのドアをそれこそ全国の各駅に一つのもれなく設置することが最優先されるべき世の中を目指すということです。

そうすれば落下事故も防げるし、扉が立ち塞がることにより自殺者も思いとどめさせることができて、激減するでしょう。

それが「便利なもの≠楽」→「便利なもの＝人のため」の社会です。

ではなぜ「苦」を消し去ると「楽」もなくなり、双方成り立たなくなるのでしょうか？　その前に一つ、僕の人生の中での大きな経験をお話しします。

2．一病息災から学ぶこと

話は少し逸れますが、僕は十一年前に大腸がんに罹患しました。生まれて初めての人間ドックで、偶然にもステージ1Bの早期に見つかって運がよかったのです。その当時ではまだそう多くはなかった、社会復帰の早い「腹腔鏡下」の術式のオペができ、二週間の入院予定でしたが、途中で少し閉塞気味になり、結局は三週間の入院生活になりました。その入院中の術後、二日間の絶食のあと、三日目から流動食（栄養満点のミルクセーキみたいなもの）になり、六日目にやっと、重湯と白身魚の煮つけの献立の夕飯を戴くことができたのですが、最初に若干の塩味がある重湯を口に入れたとき、涙が込み上げ、続いて甘辛に煮た魚を口にしたとき、もう涙が止まらないのです。そこは静かできれいな病院でしたので、個室の人から大部屋の人まで、ほぼすべての人が清潔で陽当たりのよい談話室兼食堂で食事をしていたので、人目を憚らずに泣くのは恥ずかしい限りでした。でもそれくらいの久々の男泣きです。それは何かと言えば、食べられる有り難さと喜びに感動したからです。そして何より、べらぼうに美味かったです。

でもこれは、命にかかわる病気をした人にしか絶対にわからない領域です。しかも僕の場合は、良性腫瘍（ポリープ）が経年により大きくなって悪性に変化したものではなく、初めから悪性の見立てで、浸潤のはやいタイプの形の悪い癌でしたので、助かった喜びもひとしおでした。「んなぁ、大げさなー」なんて言われそうなので、念のための言い訳です。

そして、途中に肥立ちが悪い日も幾日かあり、概ね三週間が過ぎて退院しましたが、入院前と明らかに人生観が変わったことに自分でも気づきました。それは「虎舞竜」というバンドの「ロード」の歌詞を引用するようで恐縮ですが、「何でもないようなことが、しあわせ」に感じるようになったのです。街中をただ歩くだけで、お昼にランチをただ食べに行くだけで、さらにただ我が家で過ごすだけで、つまり日常の生活をする「あたりまえ」のことがすごく身に染みて「しあわせ」に感じられ、今までこのように思ったことなんてなかったのです。なぜ、そのように感じるのでしょうか？　それはやはり、命にかかわる病気という「苦」を経験したからこそ、日常を「楽」と感じることができるのではないでしょうか？　そして気がついてみれば人間はいつも、「苦」→「楽」を繰り返して生きているとさえ思えてくるのです。「苦」を知って経験しているからこそ、「楽」を感じることができる。さらに、その「苦」が重くてたいへんであればあるほど、「楽」もまた、すごく質の高くて良いものとなり、「しあわせ」と感じることができるのではないでしょうか？　僕は今でもその感じ方は続いており、薄まることはありません。「一病息災」とはよく言ったもので、今は病気する前よりもむしろ健康であり、しあわせで、ポジティブな気持ちでいられます。若いときに病気で苦労して、逆に良かったように思います。神様から与えられた「戒め」の贈り物と思っており、毎日が幸せと感じていられる賜物です。

このように人は、苦楽の両方を経験することにより、生きる甲斐を得ていくものではないでしょうか？　極論すれば、苦・楽の両方がないと人生は成り立たないとさえ、僕は思えてくるのです。

3. 苦あれば楽あり

でも、日本人は今、ある意味で絶好の機会にめぐり会うときが来ているような気がします。

それは、このたびの新型コロナウイルス拡散という地球規模的な困難を「苦」とするならば、いつか必ず「楽」をしみじみと感じられるときが来る。それは各々人によっては、立ち直って元どおりにするのはたいへんな歳月がかかる人もいらっしゃるでしょう。しかし、その「苦」

がたいへんであればあるほど、そのあと（暁）に必ずある（訪れる）はずの「楽」は、とてつもなく質の高いものとなって、皆さんに与えられるに違いないし、来るものと僕は祈りたいです。つまり「なんでもないようなことが、しあわせなのだ」と思えるようになり、感謝するこころが芽生える。僕はそんな気がするのです。そのときの幸福感といったら、言いようがありません。毎日を明るく生きられる日々が必ず来ることを思い、願い続けます。

その考えに立って申し上げれば、甲府市に住む中学一年生の滝本妃さんは、まだあどけなさが残るその若さにしてすでに、なんでもないような日々にも感謝ができて、しあわせを感じることができる「大人な子ども」ではないでしょうか？

滝本さんは、自分が数年かけて貯金をしていたお年玉をはたいて、八万円を出費して件の六百枚のマスクを手製でつくり、甲府市に寄付をした女の子です。そしてそれは、今でも続いていると言います（四月十五日現在）。薬屋さんにマスクを買いに来た老人が買えない姿を見て、気の毒に思ったことが動機だという女神のような御心を持つ女の子ですが、僕は、この子は神様が現世に与えてくれた申し子のような気がします。それは、欲という世俗が蔓延る現世に染まる子どもたちの見本となるために、世に送ってくださったに違いないのです。なぜなら、いつも国や世の中から与えられている日常をあたりまえのように感じ、感謝を忘れてしまうこころ。さらにしてもらうことばかり考えている人たちには、決して自費でマスクをつくり、人に与えるというこころの余裕などないので、そのこころを思い出させてくれるからです。その点に於いて滝本さんの姿勢と行動は、それらの考え方とは対極にあり、一線を画しているからにほかならないのです。

滝本さんは、将来は女医を目指しているそうなので、ぜひ実現してほしいと思います。医師として必要な心根は、すでに合格しています。

そして滝本さんは今、六百枚という、たいへんな数のマスクの制作に費やした苦労を「楽」に代えられて、充実した日々を過ごしているに違いないのです。

4. 完全自動運転のクルマづくりに一言

――未来のビジネス・ワーキングスタイルを間違えて、人間に必要な五感を衰退させるような社会にならないために……。

僕は完全自動運転のクルマの特集番組を見たことがありますが、その番組のＭＣのコメントで、「運転手が居眠りをしていても大丈夫」とか「安心です」と言っていることに、たいへん疑問を感じ、ＭＣがそのように思うことが理解できません。

メディアのコメントもクルマのメーカーも、「人間の堕落の体」を、便利なものを誇らしげに売るための宣伝にしてはならないのです。僕は、それは間違いだと思います。

なぜなら、居眠りなどの行為は、人間としての一線を完全に越えてしまうように思うのです。たとえ緊急危険回避も完全自動だから目を開けている必要性がないとしても、やってはならない慎むべきものなのではないでしょうか？

そもそも、この発明と技術開発の目的が、人命を守るための事故の回避（安全）であるとするならば、「居眠り」とは、その対極にある怠慢な行為なのです。

ましてや、人間のつくるものは、一〇〇％に近いものはあっても、一〇〇％は存在しないのです。よって、どんなに高性能な完全自動運転のクルマに乗ったとしても、誤作動などのいざというときのオペレーションができるように、ステアリング（ハンドル）やコックピットがある席に必ず一人は起きていて座ってないと、作動しないようにするべきだと僕は思います。そしてそれは、誤作動が一生に一回あるかないかの確率であっても、然るべきものなのではないでしょうか？

よって、道路交通法の新しい立法の制定も、これを必ず義務化し、絶対に譲歩してはならないと思います。「ならぬものは、なりませぬ」です。

しかしながら、僕はやはり、どんなに未来の世の中が便利なものを求め、それがニーズになろうとも、完全自動や無人化には反対です。たとえその潮流に敵わなくても、せめてその技術は歩くようなスピードで流すような「公共の乗り物」だけにしばらくは留めておき、自家用や私的なものには、手放しのオートクルーズは標準装備にしても、やはりいざというときには、人間が少なからずオペレーションにかかわるべきです。そのときの抑制装置として、ヒューマンエラーやミスが起きた場合の補助動作や、緊急回避と人身事故を防ぐ制御ができるように、その精度を究極なまでに高めることを研究してはどうでしょうか？

また、メーカーもそのことは既に気づいていて、手放し可能なオートクルーズが作動中でも、手をステアリングに添えて触っていないと警告灯がつき、その状態が長く続くとアラームが鳴るようになっているそうです。すばらしい施しですよね。

また、なぜそのようなことが必要なのか重要な意味があります。それは、完全自動の無人運転を目指したクルマだって、万が一故障をすれば、結局、乗車している人間がオペレーション（運転）しなければならないことに、皆さんはお気づきでしょうか？　先ほど僕は申し上げました。「人間がつくるものに一〇〇％完全なものはない」と……。

だから工業系の製造・製品の技術系学識者の中には、一〇〇％電気制御のモーターで駆動するクルマより、わずかな排気量でも古来の技術である内燃機関を併せ持つハイブリッド車のほうが、未来においてさえも主流になると予測する方もいらっしゃいます。なぜなら一〇〇%電気モーターのクルマの場合、バッテリーが切れたりあるいは故障したりすれば、「ウンともスンとも」言わず、まるで動かないクルマになってしまうからです。よって、いざというときに内燃機関のエンジンに切り替わり、頼ることのできるハイブリッド車のほうが安全で重宝するというわけです。

故に、いつでも臨戦態勢なドライバーに戻れるように配慮するべきであり、人は完全自動（無人運転）に怠けて、ペーパードライバーになってはいけないのです。

だいたい、運転ができない（何年も運転していない）、交通規則を忘れた人が乗っているクルマなんて、危なくてしょうがないでしょう。

ましてや、乗っている人全員が居眠りなんてしていたら、僕から言わせれば走る凶器以外の何物でもなく、「現行犯逮捕」です。従いまして、どんなに完全自動運転のクルマが蔓延ろうと、それがスタンダードになる未来の時代になろうと、豆タンクなドライバーを育てるためにも、自動車運転教習所や運転免許は、決してなくしたり廃止したりしてはならない不滅の制度であるべきです。

5．SF映画で描いた未来の人間をめざすの？
――インターフェースはAI「ロボット」ではなく、あくまで人間。

「パワーローダー」――皆さんは、この妙ちくりんな機械の名前を聞いたことがあるでしょうか？　SF映画の世界だけの造語かも知れませんが、人間の体重の数倍もの重量物を運ぶ労働のため、未来の人間が装着する、油圧ユニットを介して補助するマニピュレーター、いわば着るフォークリフトみたいなものです。「エイリアン2」というSF映画の中で、ヒロインのリプリーが、子どもを救うために、エイリアンクイーンと死闘を繰り広げたときに、自分の身の鎧《よろい》代わりに装着したパワードスーツです。宇宙船で物資を運ぶワンシーンでも装着していました（今でも観ると手に汗を握る名作です）。僕がこの映画をロードショーで見たのは三十年以上も前のことなのですが、僕はまさにこのとき、未来の便利すぎる世の中でも、人間はこの映画のような姿であるべきだと思いました。そしてその考え方は今も変わりありません。つまり、どんなに便利な近未来が訪れようと、発明されるものは、人間の能力の補助的動作にとどめておくべきと考えたからです。鼻をほじったり居眠りをしたりしている間に業務が遂行されてしまうようなものは、それが産業の生産効率化をアップしていくうえで、どうしても必要なところだけの限定に留めておくべきではないでしょうか？　つまり、たとえば航空機部品のような、一個でも軽く二十四時間を超えてしまう超精密加工が必要なプログラム工程の加工や、大量生産が必要になる使い捨て消耗品の大供給量の生産品などを、超大ロットの生産ラインで稼働をしたときなどに限定すべきだということです。

しかし限られた少ない労働力になるかも知れない未来の人類にとって、たとえ自動化する機械が必要であったとしても、それを見ながら触れながら、作業することは必要なことだと思うのです。よって、「人が睡眠をとる時間帯にも生産の稼働が必要なもの」という大義を位置づけて、「人間とＡＩ」の不文律を倫理法として定めるべきではないでしょうか？

なぜなら、ＡＩにより無人化するフルオート生産がスタンダートになる世の中になれば、人が存在する意義がなくなるからです。そしてそうなれば、多くの人はその職業訓練や技術習得を怠り、娯楽をするためだけの目的で、フルオート生産ラインのスイッチを押すだけの社会になり得るということです。

そしてそれは人類を創造されたサムシング・グレートの神々には不本意であり、それらとかけ離れた人間をつくってしまってはならない気が僕にはするのです。よって製造・生産に携わるときに最低限のオペレーションを残すことは、人類にとって存在意義を有するための絶対領域になるのです。

それにはやはり、製造・生産をどんどん自動化に推進させても、インターフェースをロボットやＡＩに任せっきりにさせるのはなるべく避けて、最終的なインターフェースはやはり人間に残しておくべきではないでしょうか？

従いまして、先ほどのエイリアンの映画に登場した「パワーローダー」に当てはめて述べますと、人間があくびをしながらリモートコントロールを駆使して、ロボットに労働させる世の中もよいが、それだけではなく、人間がオペレーションして、あくまでもロボットやＡＩなどの自動化技術もその補助にとどめておくべき作業環境も人類にとって有意義なのではないかと、映画を観ながらふと、そう思ったのです。僕のような考え方は、「楽して食えればいいじゃん。そのぶん、趣味や娯楽や違うお金儲け（サイドビジネス）をすればいいでしょ？」という考え方の人たちには、頭が固くて理解し難いと思われるかも知れません。でも、それでもいいのです。そもそもこの本を出版した動機とか意図は、そのような考え方をする人たちの対極となる意見を述べることですから。よってこのまま、恐れながら申し上げていきます。

すなわちこれが、労働や仕事に「楽」を求めた結果であるのです。便利なもの＝楽なものの考え方です。しかし、人が衰えてしまうような生産性の向上や効率化は、なんの意味も持たないのです。

別項でも申し上げていますが、「楽」とは「苦」があって初めて感じるものでありますから、「楽」と「苦」はセットであり、この世から「苦」が消えて「楽」ばかりになると、やがて

「楽」も消えてしまうということになるのです。それはつまり、やりがいがなくなり↓張り合いがなくなり↓やがて生き甲斐もなくなる。この連鎖で、僕は自殺者が増えてしまいそうで心配になります。皆さんは生活や趣味のために働く仕事が、完全自動化のラインのスイッチを入れるだけになった場合、その人生を楽しいと思いますか？　仕事に創意工夫をし、時には壁にぶつかって悩んだり喪失感を感じたり。でもそれらの「苦」を乗り越えることが困難でたいへんであるほど、越えた暁の「楽」はたいへん質の高いものとなるから、達成感や充実感に一喜一憂するのです。またはお腹と背中がくっつくくらい、腹ペコになるまでパワーローダーを着て働いたあとに、夕飯を美味しくいただいたり……人はこのようにして生きていくのが楽しいはずなのです。

つまり、便利なものとは楽をするものという考え方は誤りで、あらためて便利なものとは「人の役に立つもの」であり、楽はあとからついてくるものなのです。

第五章　国内の若い労働力は、いったいどこへ向かい、行ってしまうのか？
――企業がキチンと向き合えば、必ずいます。

1．ユーチューバーに物申す

今の若い人たちが、会社という一つの組織の中で働くことを嫌がる傾向があり、その原因として、それと対極的で反作用するかのように、将来、自分はユーチューバーになりたいという若者を増長させています。その社会的要因として、僕は二つ問題があげられると思うのです。

一つは、現在《いま》の日本の世の中の象徴である個人主義的な風潮が、自分の現在のことしか見られず、将来の自分の家庭や家族を守ることとの想像する視野を持てない人を育ててしまう日本の教育環境がまず一つの原因です。しかしながら、国内の企業にも責任はありましょう。それは、魅力的で勤労意欲に溢れるような企業が少ないからです。『上級国民／下級国民』の著者で知られる橘玲先生が本文の中で、「日本が貧乏臭くなった」と憂いていましたが、僕も同感です。

特に二十年以上も続く政府の緊縮財政主義でデフレ不況となり、不景気の煽りを受けた企業が、財産とも言える正規雇用の社員の人件費を削り放題で、非正規雇用を多く生んだこともその原因と言えましょう。しかし大方は、自分の家族と生活の構築にたどり着くまでの下積みの途上で人間関係や年功序列の我慢を嫌がり、せっかく手に入れた正規の職場を手放したりして、それを避けて通ろうとするからでしょう。

二つめは、松下幸之助の商いの原点である、世のため人のための心を欠いたとも言える、ものを売るためには手段を選ばない、企業としては下品な方法の広告手段と、働く人間を、「ヒト」ではなく「モノ」として扱うグローバル化への推進、この二つに起因していると思うのですが如何でしょうか？

これはどういうことかと申し上げますと、まず初めに断っておきますが、僕は、「ユーチューバー」という職業に一切の偏見はないと自分ではそう思っています。

そのうえで述べますが、一部の、いやほとんどが低レベルな内容で高視聴率をねらうという、人の迷惑も顧みない自己中な投稿動画や法を犯す犯罪動画が多いですが、企業側は絶対に広告などの媒体としてこのような人間とつきあうべきではありません。しかしそれとは逆に、世のため人のためになるような、真摯な動画配信もあります。それが真のユーチューバーです。ですから企業も、このような真摯なユーチューバーの動画配信にのみ広告を載せるべきで、それ以外の低レベルのユーチューバーとは付き合うべきではないのです。

けれども、ときとして大企業の広告料にもありつける可能性もあるこのような業種というか職業は収入がとても不安定であり、長期的視野で人生を鑑みれば副業として考えるべきであり、しっかりと永年を想像できるような本業をまずは持つべきではないでしょうか？　「楽して食える」なんて浅はかで甘い考えで目指すのは、世のため人のために尽力している真摯で著名なユーチューバーに対して、失礼極まりない考え方なのではないでしょうか？

その他にも、ｅスポーツなどのゲーマーを目指すことも然りです。賞金を稼いで食っていく気なのでしょうか？　しかしながら、このゲーマーを含めたスポーツ選手や、賞金を稼ぐことを職業にしている人の中で、生計を立てて食っていける人はほんの一握りということをご存じなのでしょうか？　数字で表すとおそらく、〇・〇一％、良くても〇・一％以下ではないかと思います。

高校生くらいの坊やが、「プロゲーマーになりたい」と言っている番組を見ました。子どもたちに、このようなことを平気で言わせてしまう世の中になりました。これは日本政府の緊縮財政主義で企業に体力がなくなり、若者が正規雇用で職を得ることが難しくなっていることにも原因があるでしょう。また、働く人材をモノとして扱うグローバル化企業の慣習もよくありません。

しかしこれは日本だけではなく、世界に通ずる潮流であることも間違いありません。このようなことを言わせてしまうのは、恐ろしく賞金が高いのも一つの「錯覚」を起こさせてしまう要因と言えましょう。なにしろ、ｅスポーツゲームの優勝者に三億円もの賞金が出るのですから……あまりにも与えすぎです。

それよりも、その賞金をせめて、五〇分の一か一〇〇分の一程度にとどめて、そのぶん、大会や競技会を増やして多くの出場機会を与え、トップアマチュアのゲーマーか、副業として、ゲームの腕を研鑽していく若者たちを育てていくべきではないでしょうか?

世の中や大人は、このようにして、子どもや若者に「食っていくことができる」という勘違いをさせてはならないのです。

そしてどうしても、本業として食っていきたいと努力を重ねて、その世界に飛び込むのであれば、本人の自由です。しかしそれには、守らねばならない条件が一つあります。

それは、途中で失敗し挫折しようとも、決して世の中や他人のせいにしてはならないことです。

「そんなことわかっているよ!」と聞こえてきそうですが然にあらず、わかっているようでわかっていない人がほとんどで、ふてくされた態度を人前で見せてしまうことも憚られることとなのに、それさえもできない人が多いからです。このように、あからさまに態度に表すと、身内や周りの人たちがとても嫌な気持ちになり、こんなに迷惑なことはないのです。

また日本は、子どもや若者に「職業をもつ」大切さをキチンと教育してこなかったくせに、就職しない、働いてくれないと言って、東南アジアをはじめ諸外国の若者の労働力に頼るのは如何なものでしょうか？　政府の移民受け入れを増長させるだけです。雇用すれば一時は人件費も安くすみますが、高を括っていると後から必ずツケが回ってきます。なぜなら移民の受け入れは治安を悪くするばかりでなく、日本の民主主義をも崩壊させ、国民の人件費上昇の抑制につながり、日本人の給料削減の常套手段にもなりかねないので、やるべきではありません。ドイツやスウェーデンの惨状を見てほしいです。殺人といった凶悪犯罪の件数の増加に頭を痛めていると言います。アメリカのトランプ大統領が国境付近でしていることを非難する声もありますが、国家と国民を慮ればそれは正しいのです。これは差別や偏見で述べているわけではありません。自由資本主義国家のように、しっかり統治されている国とは違い、無秩序に近い国々から来る人たちは、価値観も違えば、要求や欲求も強いものだからです。ただし、紛争中における生命の保護を行う「難民」の一時受け入れは、これとは別に考えていくべきことなのでしょう。特に小さな命を守る瀬戸際ならば、なおさらです。

話は戻りますが、国内の労働力は、この少子高齢化の世の中でも、決して若者の労働人口が不足しているわけではありません。若者が働く場として選んでくれないだけです。これは先ほども触れましたが、もちろん企業にも責任はありましょう。でもこの問題を掘り下げる前にまず述べておきたいのですが、ではなぜ、世の中が貧乏臭く、魅力ある企業が少なくなってしまったのでしょうか？　しかもそれは日本に限ったことではなく、海外の先進国すべてにも言えることだと思います。

本来、その国の国内企業（ブランド）の使命とは、社員の生活を豊かにして、自国民や社会に貢献していくべきことなのに、先進国の宿命で、経済と景気の成長とともに国民の人件費が上昇し始めると薄利になっていき、やがて利潤追求のため、国内生産を見捨てるかのように、人件費が安い新興国や発展途上国に多くの国内生産企業（ブランド）が製造・生産拠点を移してしまいました。「利潤追求」というと聞こえはいいかも知れませんが、平たく言えば、企業経営者や上層部といった企業体のほんの一部のトップらが収入を守るため、あるいは増やすための手段と言われても仕方ないでしょう。そしてその国の自国生産のブランドを価値として手に入れることを楽しみにしていたユーザー（購買層）の気持ちを踏みにじり、「どの国で生産しようが、きっと買ってくれるだろう」と高を括った甘い考え方の結果、どのような社会になったのでしょうか？

たとえば、僕の生活と趣味の観点から、なぜ現代《いま》の先進国が貧乏臭いかをお話ししたいと思いますので、誠に申し訳ありませんが、かなり狭い業界に絞った話になります。

僕は前作の『日本、一億人総幼稚時代』の中でも触れましたが、学生時代はスケートボードに夢中でした。そしてもう一つ草テニスにも凝っていました。「草テニス」とは、そのころ活躍したビヨン・ボルグ、ジミー・コナーズ、ジョン・マッケンローといった世界的トップ・プレイヤーの影響で日本もテニスブームとなり、お金のない僕ら学生は、いちいち高額なテニスコートではやらないで、Dパック（バックパック）にラケット一本を突き刺した体で街を闊歩し、コートのようにネットやラインがなかろうが、空地やクルマの停まっていない公園の駐車場などを見つけては、すぐに荷物を下ろしてやり始めるので、「草テニス」と呼んでいたのです。僕と同世代の「アラ還」の読者さんも懐かしいと思うのではないでしょうか？

そんなわけで、僕はスケートボードスタイルのサーファールックかテニスルックでした（どこからか、ミーハーという声が聞こえてきそうですが……）。故に運悪く、口うるさい僕の標的となるブランドは本編のお話とだいぶ遠ざかってしまいますので、なるべく絞りますが、ナイキ、アディダス、フィラ、エレッセ、セルジオタッキーニ、そしてこれだけはローマ字で表記しないとピンと来ない人もいるので、ＢＯＬＴとします。まあ、ざっとですが、これくらいにしておきましょうか。

そして生産国を列記してみると、ナイキ（アメリカ）、アディダス（フランス）、フィラ・エレッセ・セルジオタッキーニ（イタリア）、ＢＯＬＴ（アメリカ・ハワイ）と、おわかりのように、各ブランドはアディダス以外が母国内生産でした。ドイツブランドのアディダスがフランスで生産していたのは、戦勝国と敗戦国との複雑な柵《しがらみ》があったのでしょうか？　しかし、メイド・イン・ヨーロッパ内です。これらのブランドは、僕がナイキのスニーカーを購入したのを始めとしますと、中学三年生（一九七六年）のころから、概ね二十五歳から二十六歳くらいの十年間のことです。

このころの僕の憧れだった各ブランドの価格は、ナイキやアディダスのスニーカーが一万六千円前後、フィラ・エレッセ・タッキーニなどのテニスのポロシャツが一万四千円前後、ＢＯＬＴのサーファーシャツが一万円前後でした。これらを今の物価に換算しますと、スニーカーで四万円前後、シャツ類で二万五千円から三万五千円相当になります。これらを僕らが「高くない」と思ったのはウソだとしても、買うことが「もったいない」と思うこともありませんでした。そしてこれらを購入するために、その当時は、お小遣いを少しずつ貯めたり、アルバイトをしたり、またときにはお年玉などを足して、学生時代のときはおよそ半年から一年かけて手に入れたものです。それを僕らは、贅沢だとは思わなかった。なぜならそれは、金持ちが、その価値もわからずにのべつ幕なしに手に入れたものとは違い、一生懸命にアルバイトなどの努力をして、貯めたお金で手に入れたもので、僕らなりに主張があったからです。それはそのブランドの付加価値を認めたものであり、おしゃれに気を遣う女の子がものを買う気持ちとは違い、希少性のあるものの所有欲であり、トレジャーは言い過ぎですが、コレクションハンターのこころに近いものです。

そんな購買者のこころを露しらずか、企業の利潤追求や会社の創業者、そして以下上層部の収入を守り増やすため、その当時はまず、アジアニクスで台頭してきた韓国（MADE IN KOREA）に製造を頼りました。その結果、小売価格が三〇％前後下がりましたが、やがて韓国の人件費が日本や先進国に追いつきだすと、さらに今度は中国（MADE IN CHINA）に頼り、四〇％以上安くなりました。以降、現在も中国以下、インドネシアやベトナムなどにも生産拠点があります。もちろん、これらトップブランドの生産措置も、商品の小売価格を下げて求めやすくしたことも確かなことでしょう。でも僕は、自国（本国）で作らなくなってから既に戦意喪失で、まるっきりこれらのブランドは欲しくなくなり、一切を買うのをやめました。

僕のように、当時同じ気持ちになられたアラ還の方たちも多いのではないでしょうか？　ただ、スニーカーは今でも買っています。しかしそれは、すべてというわけではありませんが、トレジャーハンターのような気持ちでワクワクして買うのではなく、日常の運動用で、「消耗品」として冷めた気持ちで買うのがほとんどです。すなわちこの「消耗品」とユーザーに思わせてしまうスペシャリティーや希少価値がなくなったような「成り下がり感」が、貧乏臭さの要因に思うのです。

これらのブランドは、人件費の安い途上国に生産拠点を移す前に、まず、ブランドのステイタスや価値を守れるのかをもっと考えるべきだったのではないでしょうか？ そのためには、工場を自国民による国内生産で維持できるように作業効率などの合理化や、マーケティングによってユーザーがどのような商品をリクエストしているかなどの調査をしていれば、人件費が上昇してもまだ自国内生産が可能だったのではないでしょうか？

事実、ナイキなどは、生産拠点を韓国や中国に移した当時、コレクターのアメリカンの間では、「アメリカの魂を売ったブランド」と吐き捨てるような酷評を受けて叩かれていました（でもデザインや機能性の技術ルーツは、実は日本のオニツカです）。

故に、これらブランドの創業者（起業家）らは、コレクターがどのような気持ちと、どれだけのこだわりを持って自社の商品を愛してくれていたのかを見誤りました。だいたい国の物価や人件費が上がったからといって、途上国に工場を操業させ、安い賃金とはいえ、よその国の若者に勤労させて食わせているのですから、そのぶん自国の若者が雇用機会を失うのは当然であり、また失業もさせているのだから、日本を含め、先進国の世の中が貧乏臭く見えるのは当たり前かも知れません。

このような先進国のいわゆる「超空洞化社会」が、これからの貿易の貴重な要となる「豆タンク」な若いブルーカラーを育成する機会を失わせてしまうかも知れないのです。

2. 近未来のワーキング・スタイルとブルーカラーの台頭
――先人たちが築き上げてくれた、日本のものづくりという才能。

しかし、敢えて僕に言わせていただきますと、大方の責任は企業だけでなく、日本の世の中にあるように思うのです。それはすなわち「豆タンク」な若者を育てる教育をしてこなかったからです。また先進国の宿命か相変わらずホワイトカラーを好み、ブルーカラーを嫌います。僕の会社なんかもう、ブルーの典型だから、年々新規採用は厳しくなるばかりです。その他にも、優良企業の大手ゼネコンとて土木現場の若者の求職率は低く、たいへんな人手不足で、オリンピックの設備の建設現場に、あわてて外国人労働者を集めていたほどです。

不景気な業界にとっては羨ましく思われるほどの建設ラッシュで、景気のよい建築・建設業ですが、なんともったいないことに入札を募っても応札者がおらずに不調で終わることも多いそうです。なぜでしょうか？　それは現場の人手不足で、希望竣工納期に間に合わなくて完成日の確約ができないからだそうです。なんとまあ、もったいない話ではないでしょうか？

有識者によると、最近の日本の若者は幼少期のころに砂遊びのような手の汚れる遊びをしなくなったから、このような仕事を避けて嫌うようになったと言われています。また、我慢や辛抱という教育や躾も、今の日本は希薄だから、本来はホワイトカラーも、まずは下積みとしてブルーカラーの仕事の難しさや苦労を知るべきなのに、いきなりホワイトの業務に就きたがるのもその要因と言えましょう。どうしましょう？　皆さん、おかしいことだと思いませんか？先ほども申し上げましたが、フリーターのような若い労働力がまだこんなにも国内にいるのに、なぜ人手不足になるのか、原因の究明や企業努力もしないで、新興国や発展途上国の東南アジアをはじめとする若者の労働力に頼るなんて……。

しかもこのような海外の若者の中でも、優秀な者はインターンのつもりで修行しに来るから、永年を働いてくれないのです。

だいたいホワイトの仕事にばかり就きたがり、ブルーのたいへんな仕事は海外の新興国以下の若者に頼るなんて、少し甘く見てはいないでしょうか？

日本にとって世界と渡り合える一番の経済力となる強みである「ものづくり」というものは、世界と貿易していく上でも、これからさらに重要な位置を占めていくものです。よって、むしろホワイトよりも優秀な人材が必要な時代にブルーカラーは突入していくと思うのです。

現代と近未来の時代の最先端を行く申し子で、メディア・アーティストのＩＰＡ認定スーパー・クリエイターの落合陽一氏も、著書の中で、未来のＡＩに仕事を奪われにくい職業として、ブルーカラーを挙げています。そうです、ホワイトのほうが、ＡＩに仕事を奪われる可能性が高いのです。

ましてや『国家の品格』の著者でいらっしゃる藤原正彦先生に言わせますと、日本は先進国の中で、最も本を読まなくて、最も勉強をしない国に成り下がりました。しかも小学校の段階で、最も大切な国語・算数を削り、選択科目以下の不必要な英語を科目として組み入れました。それは、これからのブルーに必要で高度な理数系の知識を身につけなければならない時代に「逆行」してしまうことになるのではないでしょうか？

またさらに、ＡＩに仕事を奪われにくい職人の「匠のわざ」というものもあります。

たとえば、コンピューター制御のマシニングセンターでは、Ｘ軸・Ｙ軸の平面と直線の二次元加工が基本となりますが、それとは一線を画した高度な三次元加工というものがあります。それは千分の一ミリ単位の曲線加工の世界で、Ｘ軸・Ｙ軸・Ｚ軸の三軸を同時に駆使してコンピューター制御で加工しますが、その制御を以てしても、職人の手作業によるサンドペーパーなどの仕上げには敵わないのです。コンピューターはデジタル信号ですから、三軸制御の曲線も座標値で計算をします。そうすると肉眼では見えなくても、どうしても座標値制御の特有性である段付きが超ミクロの世界でも表れます。そのざらざら感が、しろうとの目には見えなくても、職人の触診でわかってしまうのです。職人の匠の技とは、そこからさらにミクロの段付きをサンドペーパーなどでツルツルになるまで研磨していくのです。それはもはや一万分の一ミリ単位とも言える永年の技術で培った触診のセンサーと言えるもので、AI搭載のコンピューターやロボットといった人間もどきが逆立ちしても敵わない「職人」の領域です。これが日本のブルーカラーが「豆タンク」である所以であり、生き残れる理由の一つと言えましょう。

簡単に言えば、アナログがデジタルよりも勝ることがあるということであり、ブルーカラーのインターフェースは「人間」だということがわかります。

ちなみに、弊社でもマシニングを製品加工で使っていますが、そのオペレーターの加工班・班長は高卒ではありますが、「数ⅡB」の科目が大好きで、得意な子らしかったです。

3. 国内の地方の商業を壊していく措置法「大規模小売店舗立地法の規制緩和」

――対峙する地方の商工会議所青年部や商店街連合会の決起と台頭。

この悪法を許した政治家たちは、将来国内を襲ってくる地方都市や商店街の「ゴーストタウン化をどれだけ予測したのでしょうか？　恐らくこれらのことを鑑みることができない、アメリカの言いなりになったセンスのない政治家たちでしょう。僕は旅も好きなので、いろいろな地方を訪ねるのですが、シャッター通りになった商店街を見るたびに、そのような政治家たちの所業に腹が立ち、悔しくって仕方ないのです。

また、今はもう卒業してしまいましたが、僕は埼玉県内の商工会議所青年部に会員として所属していました。全国四十七都道府県に何団体あるかは忘れましたが、毎年、商工会議所青年部全国大会という催し物があり、各県が持ち回りで開催県となり、全国各地から二千人から三千人が集まって大会を開催するのです。そのときにいろいろな地方都市を見て回るのですが、その地元の青年部や商店会が一念発起した町おこしで、シャッター通りを甦らせた商店街を見せてもらうたびに、僕は胸が躍るのです。

その悪法が施行される前は、大規模小売店舗と地元の商店街には、みごとに不文律みたいなものが確立されていました。

デパートといった大型店は毎週水曜日辺りを定休日にしていました。すると水曜日に客足が一気に商店街にながれていきました。またその他の曜日は、デパートなどの大型店は最上階にあるレストランなどを除いては午後六時で閉店となり、その後は、それより遅い時間の八時から九時ごろまで営業している銀座通り商店街に客足がながれていきました。僕は小中学生のころ、デパートが休みの日の平日に、商店街の風情や雰囲気を見るのが好きでした。なぜなら、小中学生の分際ですと、夏休みといった大型の休みのときにしかその景色を見ることができないので、日曜日にはない、平日の昼下がり独特のおだやかな活気と、それとは明らかに矛盾した夕方の客を待つアーケードの静けさとにおいが、とても新鮮に感じるのです。そのときとばかり、よく母の実家のお婆ちゃんに、おもちゃを買ってもらったものです。

このようにして大規模小売店と個人経営の商店の間には商いの「しきたり」が暗黙の了解としてありました。しかし、その不文律をつくっている規制という箍《たが》が外れると、百貨店やスーパーといった外資系や国内の大型小売店舗は、決められていた定休日を廃止して年中無休にし、さらには決められていた閉店時間も廃止して、午後九時までの営業や、二十四時間営業などにして、地元の商店街や近隣に店を構える個人経営店の「存在意義」を悉く《ことごと》粉砕していきました。

これが、シャッター通りやゴーストタウンを生んだ直接的な原因です。

これらは、この本を読んでいただいている大人の方のほとんどが周知していることと存じ、無駄なものと重々承知しているのですが、おそらく現代《いま》の学生さんのほとんどが、このことを知らずに、当たり前のように大型店で買い物をしているものと思い、ぜひ知って欲しいと思いましたので、あえて書かせていただきました。

しかしながらこの悪法は我々国民にも責任はあります。それは実際に、その外資系のしゃれた店や大きな店舗が続々と営業しだすと、新しいものと西洋かぶれに弱い日本人は、商店街を放ったらかしにしといて、そちらに足を向けました。浮気です（笑）。

また良かった点もあります。それはやはり日本の若者に対して雇用機会を増やして就職に貢献できたことに尽きると思います。

（ただし、本社採用がほとんどだったので、地元の若者への求職の還元には、あまりならなかったと言われています）

4．天命で人が間引かれる「災難」という有事に遭遇する前に政府がしていくこと

その後、このグローバル化のみちを歩み始めたとも言える「大規模小売店舗立地法」の規制緩和という政府の所業によって、地方の過疎化が進んでしまいました。それは地元の若者が出ていったから過疎化が進んだのではなく、商店街のゴーストタウン化、シャッター通り化が進んで過疎化したので、街に仕事も魅力もなくなって若者が出ていったのです。これが政府の大罪です。

本来、先進国が強い経済力を持つということは、お金（国家資産）を持っているということ

ではありません。それは間違いです。そのことを今の我が国は理解できていないのです。

むしろ、その潤沢な国家資産を惜しみなく使って、どんな災害や有事といった事態になっても、モノ・食料などの国民への物資供給的なサービスが迅速に行えることと、人に安心を与え、安全を確保できるような速やかな居・住の修復や建設の確保などを直ちに実行できることが、先進国が強い経済力を持つということだと、三橋先生は述べています。僕もまったく同感で、異論はありません。

「豆タンクな国」とは、すなわちそういうものだと思いました。

さらに言えば、これらの事案に国民を救うことこそが公共機関による厚生というサービスなのであり、適材適所に必要だったわけです。それなのにグローバル化のための「大規模小売店舗立地法の規制緩和」による地方のゴーストタウン化や、政府の意味のない「公共機関」のむやみな民営化などは、公共そのものが減るばかりでなく、そこで働く公務員数も減らし続けているのです。つまり、緊急時にはすべての国民を利他の奉仕で賄う「公共」を喪失させているということです。民営化されたサービス機関では決して同じ奉仕ができないので、当てにならず信用もできません。なぜなら、利潤を追求する民間企業には国民に「緊急時の無償の奉仕」という責任感や概念が存在しないからです。極論を言えば、自分の損得で国民を選んだり置いて逃げたりしてもいいのです。つまりこれこそが「公共機関は赤字のままでよい」理由の最たるもので、すべての国民の厚生に平等であり続け、利他のこころで動くことのできる所以なのです。

よって政府は地方交付金をもっと増やし、「公共機関の復活」を果たすことで、本当の意味で強い国をつくっていけるのです。

またこれらを果たしたうえで、初めて「道州制」が意味あるものとして生きてくるのです。災害の多い日本では、東京に人口が一極集中する「中央集権」では国民は守れません。国土の隅々まで人が暮らしていける「地方分散」をめざし、関東大震災が起きても、「命が助かる人の数」を増やす確率の可能性も追求していかねばならないのです。

僕は博識者や学者ではありません。よって専門的な物言いではなく、違う方向から主に教育論・精神論として発言してみましたが、さて皆さんは、どのようにお考えでしょうか？

災害が起こる前に、皆さんで一緒に考えてみましょう。

最終章　母国愛を持つ、日本の女子力の凄さ
――旧日本軍の兵士に対する純真なこころとは。

1．署名を集める、ある日本の男子学生

先日メディアのニュースで、現在、国連で採択されている「核兵器禁止条約」が効力を持つ発行ができるまであと七ヵ国となったので（令和二年十月現在）、反対の立場をとり、批准書の寄託を拒否している日本政府に抗議するための署名を、大学生らが駅頭などで集める運動をしていました。その中でインタビューされた男子学生の一人が、「採択必要国数があと僅かに迫っているのに批准寄託の表明をしない日本は、被爆国であるのにおかしいと思う」と答えていました。母国愛や祖国愛の微塵のかけらもない、国を貶めようと、いつになっても「国を慈しまない」悪い大人どもにだまされて吹聴を鵜呑みにしている青少年たちの所業です。

その君たちに、はっきり申し上げておきます。今回、日本国政府の「寄託拒否、反対」の姿

勢は正しいのです。そのような間違った教育を何も疑わずに見聞きしただけで、署名運動をする前に、もっともっと、世の中や世界を勉強する必要があります。そのような教師や大人たちを、「なぜこの人たちは同じ日本人なのに、日本や日本の兵士の悪口ばかり言うのだろうか?」と疑わないのでしょうか? また、勉強している人ほど簡単に、「核兵器反対」などと言わないものです。たとえば日本と同じように、「寄託反対」の立場をとっている国々は、なぜ反対の立場をとるのだろう? と深く掘り下げて勉強したことはありますか?

核や武器は存在しないほうがいいに決まっています。誰もが願うことかも知れません。だから人として、自分の「魂」に、核兵器や武器がなくなることを念じ、祈ることはむしろ、生命を持つ人類にとって大切な気持ちであり、必要な「こころ」でしょう。だからこそ、「反対」と唱えることは簡単ですし、一見、正しく美しくも思えるでしょう。しかしそれでも、「核兵器禁止条約、反対」と唱える人や国々が多いのはなぜでしょうか? もしかしたら、やむにやまれぬ事情があるのではないかと、そこに若い人ならではの洞察力を発揮して欲しいのです。それは一言で言えば、人間は弱いからです。だからこそ反対をする人や国々ほど、「国を守ろう」と真剣ですし、機運(気持ち)も強いのです。よって、国を守るという平和的行動のその対極に存在する核や武器を「肯定」せざるを得ない不本意さを感じながら、「抑止力の核武装なら賛成」と唱えることのほうが難しいし、幾度も多方面から勉強してきた人の「証」とも言え、浅はかな考え方だけで簡単に「反対」と唱える学生よりも、「賛成」と唱える学生のほうが、うんと勉強もしているし、立派だと僕は思います。

現在の核保有国数は、明言をしていないイスラエルを含めると九ヵ国です。そしてこのたびの国連の採択決議案の「核兵器禁止条約」は、いくら批准書の寄託（賛成）国数を募っても、保有国で最も危険な国々である中国・ロシア・北朝鮮が賛同し、批准寄託をして核放棄をしなければ、なんの意味も持たないどころか、むしろ永久に現在の九ヵ国以外持てないことを望んでおり、逆に採択決定（条約制定）を好機と捉えているかも知れないのです。

なぜでしょうか？　それには二つ理由があります。これら共産主義「覇権主義国家」は、領土・領海の交渉や半ば侵略的覇権を有利に交渉したり実力行使したりできるからです。ロシアがクリミア半島を侵攻したのはなぜでしょう？　また、中国がイギリスとの取り決めが在ったとはいえ、香港政府に交渉もせずに、半ば侵略に近い統治権の奪還をしたのはなぜでしょうか？　それはつまり、クリミアや香港は核兵器を保有していないからです。これが現実です。西部劇で言えば、悪役ガンマンが、銃口を向けて丸腰相手にホールドアップを要求しているのに等しいのです。核を保有している危険な三ヵ国は覇権の行使にこのような使い方をし、本当に核弾頭ミサイルを発射しかねない危険も孕みます。これを「鉾・盾」に例えれば、「鉾」であって戦闘的武器を意味し、攻撃的であり、造語でいうと「ポジティブ・ウエポン」ということになります。

二つめは、「国連」というと聞こえはいいですが、ＷＨＯなどと同じように、中国などに買収された議員も多く、上記した危険な三ヵ国は、国連の「核兵器禁止条約」など、どこ吹く風かの如くまるで無視で、言うことには従わないでしょうし、お金もたくさんばらまかれているから罰則も皆無でしょう。「核兵器反対」と唱える学生さんたちは、「さすがに国連で禁止条例が発令されたら保有国も従わざるを得ないでしょう」と思っているなら、それは大きな間違いであり、平和ボケと言われても仕方ありません。そんなに世界情勢は甘くはないのです。また逆に、もしクリミアや香港が核兵器を保有していたとしたら、どうなったでしょうか？　それは絶対に、中国やロシアの侵攻の実力行使はなかったでしょう。この場合は、「鉾・盾」で言えば「盾」であって、壁のような防護的武器を意味し、専守防衛的であり、こちらからは何もしないが、攻めてくれれば守るというスタンスのものなので、造語で言えば「ネガティブ・ウエポン」あるいは「セーフティ・ウエポン」ということです。つまり配備していても実際には使わずに所有していると宣言し、世界各国に「保有国」と周知するのです。ではなぜ、そのようなことが必要なのでしょうか？　それは力を拮抗させることで万事を治めることができ、何ごとも起こらないで済むからです。つまり「鉾」の覇権・武力行使的核保有国に対し、「盾」の専守防衛的国家が同じ核を持つことで平和でいられるということです。これを「軍事バランス」と言います。この一見おぞましいとも言えることが、悲しいかな、現実であるのです。

そして日本とて、このような必要に迫られてきています。その意味において原子力発電所の稼働再開は必要不可欠とも言えます。軍事専門の有識者の見解ですが、国内に現存している原発すべてを稼働できたとしたら、日本の技術ですと、手元に置く濃縮ウランの量から推測すれば、すぐに五千発前後の核弾頭を配備できると言っています。

このことは中国・ロシア・北朝鮮も充分に周知しており、またこの学識者の見解が、すでにいくらかの牽制にもなっており、将来、力が拮抗する国になるかも知れないと、恐れられているとも言われています。

さて、どうですか？　今この本を手に取られている特に学生さんたち？　僕の発言が、どぎつい・おぞましい・許せない……そのように考える学生さんもまだ多いのでしょう。

しかし、何度も言うようですが、これが今の世界情勢の現実です。よって、ここでもう一つ、わかりやすい「もしも……」のたとえ話をしましょう。昭和二十年の大東亜戦争（第二次世界大戦）下、アメリカのトルーマン大統領の号令で、日本は広島と長崎に原爆を投下されました。ポツダム宣言要求の受諾後で、恭順の意を示していたにもかかわらず、ほとんど実験目的で投下された無意味で残酷なアメリカの所業です。しかし、もしもこの当時、日本も原爆を保有していたとしたら戦局はどうなっていたでしょうか？　それは、アメリカは絶対に原爆を使わなかったでしょう。「もし、日本に原爆を投下したら、すぐではなくとも報復措置でアメリカもいつか同じように落とされるのではないか？」トルーマンは指令を出す前に、きっとそう思ったに違いありません。すなわち、日本が原爆を保有することにより、広島や長崎の悲運な被害は防ぐことができたかも知れないのです。これを僕は「積極的平和行動」と呼びたいです。僕の前著でも述べましたが、地球上から本当に核や武器をなくし、その結果戦争もなくす。そのためには、世界中の国々が一斉に、かつ一秒の狂いもなく同時に、「いっせーの、せっ！」で核や武器を捨て去ることに尽きます。しかし、同時に捨てるふりをして、捨てない国が必ず存在するから各国が疑心暗鬼になるので、現実的には不可能であると述べました。特に捨て去って欲しい三ヵ国が、捨てるふりをしてこっそり取っておく最たる国柄なのですから、何年・何十年・何百年かけても、地球上から核や武器が消滅することはありません。では、核兵器を捨ててくれないし、なくならないのなら一体どうすればよいのか？　それは「使わせない」「落とさせない」よう抑止することです。それが盾（専守）となる核配備であり、力を拮抗させる「核武装論」（積極的平和論）です。

従いまして日本とて、誠に不本意ながらも見せる防衛力がどうしても必要なのです。そして今できる日本の精一杯の抑止力の行動こそ、国連の「核兵器禁止条約」の批准に反対・拒否し、採択を不可能にさせること。さらに、安全を徹底・確認した後に順次、原発を再稼働し、濃縮ウランを手元に置いておく。これが最低限の牽制と抑止力になるのです。

2. 母国愛を持つ、ある日本の女子学生

また最近では、国を慈しむ母国愛を持った若い女性が、インターネットやYouTubeチャンネル・ブログなどの普及のおかげで増えているのは誠に嬉しく、喜ばしい限りです。もしかしたら若い男性諸君よりも多いかも知れません。それはなぜなら、女子の母性が、そのような思いにさせるのではないかと僕は想像します。そして何より思いや気持ちから来る決意がとてつもなく強いのです。もうじき還暦を迎える僕でも素直に見習いたいと思いました。

『女子と愛国』という本を書いた、元スクールメイツで現在はチャンネル桜などのインターネットチャンネルのフリーアナウンサーでもあり、戦後問題ジャーナリストの顔も持つ佐波優子さんについて少し触れたいと思います。この本は初めて見聞きするものが多く、たいへん興味深い内容ですので、読んでいるうちに引き込まれ、あっという間に読めてしまいます。

愛国という心根と元スクールメイツという経歴は、一見すると対極な位置にありそうな印象を受けますが、なぜ、愛国活動に目覚めたのか？　それは芸能の道を一時諦めて、受験して合

格した桐朋学園大学短期大学部（現・桐朋学園芸術短期大学）の学生生活から始まりました。

選挙運動員のアルバイトで、自由党衆議院議員の西村眞悟氏が乗る選挙カーのウグイス嬢をしていたときです。同じ運動員の学生が台湾スタディーツアーのチラシを持っていたので、かねてから卒業旅行に行きたいと考えていた佐波さんは、それも候補に入れようと思って、学生にそのチラシは何かと訊ねました。

そしてそれが勉強旅行だと聞いたので、勉強熱心な佐波さんは、単に旅行に行くよりも意義ある時間を過ごせそうだと考え、その勉強会に参加することに決めたそうです。が、正にこのとき、彼女は大東亜戦争で散った日本軍兵士の「天使」となったと言っても過言ではありません。なぜなら、その勉強の団体は「全日本学生文化会議」といって、よく神社で清掃奉仕や勉強をしていて、毎年、八月十五日の終戦記念日を迎えるにあたって、靖国神社で清掃奉仕が終わった後に勉強会も行っていたので、そこに必然性があったからです。

とはいえ、その後の勉強会で、戦争で戦って亡くなった青年の遺書が綴られた文書が配られましたが、これまでの学校教育で「日本の兵隊は戦争でたくさんの悪いことをして多くのアジア人を虐殺した。だから現代を生きる私たちがその加害を謝っていかなければならない」と教わってきた佐波さんには、遺書と戦争で戦って亡くなることの二つがまったく結びつかなかったそうです。なぜなら、遺書とは普通、虐殺される被害者側が書くものであり、加害者なのに遺書を書いて死ぬなんておかしいと考えたからです。

その後佐波さんは勉強会で、日本軍兵士の遺骨収集というボランティア活動をしている大学生に見せられた硫黄島の遺骨収集の写真に衝撃を受けて、それまで誤解していた日本軍兵士に、せめて熱い洞窟からでもお出ししたい、そして故郷にお連れしたい、今生きていることへ恩返しをしたいとの思いに駆られた。そしてそれこそが、命と引き換えに私たちの世代を護ってくださった彼らへのせめてもの恩返しではないか？　と彼女は遺骨収集のボランティアの参加を決意したのです。

そしてさらに、その後ミャンマーの遺骨収集派遣団員になったときに、同胞の戦友の遺骨を迎えに行く二人の旧日本軍元兵士とともに行動して、こころを触れ合った。おじいちゃんと同じ年代の人たちだけれども、孤高であり、すべてにやさしい気持ちをもつ彼らを観て、「日本軍の兵士はアジアの人々を殺しに行ったのではない。私たちを護るために行ったのだ」と確信して、今現在も遺骨収集活動を続けています。その行為（好意）は、海外の激戦地で眠り、迎えを待つ日本軍兵士たちにとって、「天使」の御こころそのものです。

そして佐波さんは、遺骨収集を続けているうちに、現場で見てきた白骨化した兵士に、もし何か報いることができるとしたらと考えるようになり、それはせめてその国を護るこころを引き継ぐことなのではないだろうか？　と思い、予備自衛官になりたいと決心しました。

予備自衛官とは、普段は自身の仕事をする一方で毎年五日間以上の訓練を受ける制度です。もちろん有事になれば、出兵する覚悟の選択です。とはいえ誰でもなれるわけではなく、一般なら三十四歳以下で、もちろん試験に合格しなければ入隊できません。佐波さんも一度は不合格で、数年後の二度目で合格しましたが、このモチベーションだけでも尊敬に値します。

そして、合格したらすぐに予備自衛官になれるわけではなく、「予備自衛官補」として訓練生になり、合計五〇日間の訓練を三年以内に、四泊五日を一回としたAからJのタイプの一〇回に分けて受けることになっています。それらが終了して、晴れて「予備自衛官」になれるそうです。その中の真夏の訓練で、三五℃以上の猛暑日に戦闘服を着て、重さ一〇kgの装備を背負い、敵の陣地の中を警戒しながら移動するという設定のもとで二五kmの行軍（隊列を維持して歩くこと）をもちろん一日で行う。その他にも六四式小型小銃の射撃訓練も行う……まさに半端ではありません。実戦さながらの国民の命を守る訓練です。数年前まで「スクールメイツ」の女の子だった佐波さんは、すべてその訓練を受けて見事に「予備自衛官」になられたわけですから、いやはや、その決意と行動力には本当に頭が下がります。佐波さんも日本が誇る「女傑」の御一人といってもよいと思います。

ちょっと、日本の男の子たち、凄すぎると思いませんか？

あとがき

我が家の庭先のコオロギが朝晩に鳴きはじめました。近年、毎年のように思うのですが、なにもまだこんなに残暑が厳しい時期に、早々と生まれてきて鳴かなくてもいいのにと、けなげに思えてきます。二十四節気の上では、確かに「立秋」は過ぎて、「処暑」から「白露」の季節ではあるのですが。

この世に生命を授かって生まれてくる生き物は、それぞれに何らかの役割を与えられ、それを持って生まれてきたのであり、無意味な生命はひとつもないのです。では、鳴く虫は何のために生まれてきたかと考えれば、その生まれてきた季節の到来と、それまでの季節の終焉を人間に知らせ、情緒を起こさせるために生まれてきたのでしょう。しかしけなげと思ったのは、それらが理由ではありません。僕が思うコオロギの鳴く季節は、秋の訪れを感じる気配の朝晩の空気がそれまでの夏の空気と入れ替わったような、少なからず「涼」を感じ始める「秋分」前後のときに生まれてきて、秋の到来を教えるように鳴き始める印象があったのに、ここ近年の異常気象で、こんなにも暑いときに生まれてきて、寿命が短くなりはしないかと心配したからです。僕は昆虫博士ではないから、正しいことは分からないけれど、どうやらコオロギが生まれてくる条件には暑い・涼しいは関係なく、九月中旬前後に暑かろうが寒かろうが孵化する運命のようなのです。だから僕は、気温が三〇℃を超えそうな日に鳴き声を聞くとき、せめて卵から孵る直前に下界の猛暑に気が付かないチビたちに、「まだダメ！」と言ってやりたかった……と思うのです。

先日駅前で、迷彩服姿の自衛隊員三名が、ティッシュを配っていました。何ごとかと思いながらも、通り過ぎようと思ったら、もうすぐ五十九歳の僕にもくれたので、「おっ、僕の歩き方も、まだまんざらでもないかな」と思いましたが、自衛官の募集の最高年齢が、たしか三十五歳前後だったことを思い出し、すぐにうぬぼれるのをやめました。いくら若く見えたとしても、「さすがに三十五歳以下には見えまい」とさらに思考を膨らませたところで、くれた理由に行きつきました。なんてことはない、その隊員は「ご子息さんに是非！」という思いでくれただけなのです。とはいえ、いま就職活動に苦戦をしている若者やフリーターたちに、自衛官になるという選択肢はないのでしょうか？　僕は若者に一推ししたいです。なんといっても自衛隊は特典がすごいです。本人に取得する気持ちがあるのなら、おおよそ公道上で運転できるものすべての免許が、自衛隊なら短期間で（もちろん単車や作業用特殊車両まで）取れます。個人なら全部取るのに数百万円もの費用がかかるでしょうし、歳月も十年以上でしょう。それに加えて、自己啓発で自分磨きもできるのです。それは文中でも触れましたが、『女子と愛国』の著者である佐波優子さんも隊員について多くを語っています。

まず同期生の「志望動機」がさまざまだったことを挙げています。女子では、「彼氏が軍マニアだったから」とか、「彼氏がカップルで自衛隊の訓練をしたかったから一緒に試験を受けさせられた」といった女子たちもいれば、軍のグッズや本を集める以上に自衛隊に入隊することが最高の喜びという者もいたと言います。

けれども最初はさまざまで「軽薄」とも言える志望動機でも、どの予備自衛官補も訓練を続けることで気持ちが変わっていくそうです。前述した三人も「最初は国防以外の動機だったけれど、訓練を受けて本当に国を護りたいという気持ちに変わった」と言って最後まで訓練を行い、予備自衛官に任用されたそうです。

そして圧巻で印象深かったのが、二十代の男性だったと言っています。

背筋も丸く目もうつろで、訓練中の休み時間は「だるい、だるい」を繰り返すだらしない印象だった男性です。その彼がある日佐波さんに、「自分は引きこもりで、親から叱られ、バイトするか予備自衛官やるか選ばなきゃ家を追い出す」と言われ、バイト面接ですべて落とされ、結局いやいや予備自に来たと話されたそうです。その後の彼は、休み時間のたびに、「社会が悪い、親が悪い」と言って悪態をついていたと佐波さんは述べていましたが、しかしその後とても驚いたことがあったそうです。

何ヵ月か経って、佐波さんは食堂の近くで彼とすれ違いましたが、一瞬、彼とはわからなかったそうです。背筋も伸びて目つきもキリッとしていて見違えたのがその理由です。しかしそこでは私語はできなかったので、そのときはそのままで、訓練の卒業間際になって彼と会ったので、「なんかずいぶんすっきりして、変わったんじゃない？」と話しかけたら、ある班長が、家に帰ってもオフのときでも、いつでも出動できるように気持ちを向けているという「二十四時間勤務」の姿勢に信念を感じ、「こんな大変な思いをしなきゃ平和を護れないのかって思ったら、ありがたい、感謝しなきゃって、生まれて初めて思ったんです。自衛官とか、親とかに……」と言ったそうです。

感謝の気持ちを持ってからは心が変わり、アルバイトもして両親とも仲良く過ごしていると言った彼の横顔が、とてもたくましかったそうです。

自衛官は、誰も「私たちが平和を護っています」とは言わない。でも、平和は「ある」のではなく、絶えず作っていくものだ。私は小学校に入る前、「きれいな水」というのは、家の蛇口のすぐ後ろで生まれてくるものだと信じていた。でも社会科見学で上下水道を見に行った時に初めて、水はさまざまな過程を経て、多くの人たちの仕事があってやっと各家庭に届けられるのだと知って驚いたことがある。

今の平和が蛇口をひねったら出てくるように当たり前に存在するのは、駐屯地という工場で自衛官たちが日々必死で平和を作っているからだ。私は訓練を通じてそう感じ、心からの感謝を感じた。自衛官だけではなくて、両親や血が繋がっていなくても多くの先人に。そんな気持ちを見つけられるのも、訓練の一環なのかもしれない……と佐波さんは締めくくっています。

この『女子と愛国』という本には、二十代を中心に、中学生から高校生までの数多の女の子たちが登場して、佐波さんが彼女たちの生きざまを赤裸々に綴っています。同年代の男子には是非読んでいただきたい本です。

二〇二〇年のお正月。よもや、約三ヵ月後に襲ってくる、中国発症の世界的規模のコロナ禍をまったく予測していなかった元旦に、「また今年も始まるのだな」と朝から平和ボケのあくびをしながら、あることに気がつきました。十時を過ぎ、十一時に向かう時間帯なのに、まだ年賀状が届いていないのです。しかも年々、元旦の年賀状の配達が遅延しているようにも思えます。地域によって多少の差はあるかと存じますが、みなさんもそうお感じになられたことがありますか？　けっきょく届いたのは、午後を回った二時過ぎです。僕はなんだか正月早々、無性に腹が立ってきました。意味のない「公共事業の民営化」に。

Googleで調べてみると、昭和の頃から続いている朝七時号令の年賀状専門配達員の一斉スタートという伝統は、いちおう継続しているようです。ならば以前のように、八～九時ごろには届くはずなのですが、それが午後二時過ぎにまで遅れるのは、地域の人口密度によって生じる差が表れてきたのでしょう。ならば、原因はただ一つに絞られますよね。それは、民営化によって公務員数を極端に減らしたので、圧倒的な人手不足となり、熟練性が必要な配達員がいなくなったので、不慣れな契約社員・派遣社員に配達させているのでしょう。さらに五時間遅れですから、人員不足で局帰還と配達作業を二～三往復くらいさせているのが原因ではないでしょうか？　しかも民間企業からの派遣社員なら、「休日出勤」で時間外労働手当も払わなければならないので、公務員のような「利他のこころ」を持てない民間雇い主なら、その人件費を削るため、人員の出し渋りもするのでしょう。

配達とは、長年の土地勘と、頭の中に描き持つ自分だけの地図を武器に経験を積んで、徐々に最短の合理的業務を身につけていくものです。よって熟練と初心者の能力に、これほどの差が出る職業もないと言えるくらい大きな差があります。少なくとも三倍以上です。だから、民営化されたばかりのころは、その日のうちに配達ができなくなり、郵便物を棄てたという事件が度々起こりました。こんなことは予測できてあたりまえですよね？　人の大切な文書に責任を持って届けきる。このこころこそ、利益が出なくても赤字でも業務遂行する「利他のこころ」だけが完結できる業務であり、それには民営ではなく公営だったのではないでしょうか？携わった政治家たちは、郵政民営化は失敗、やるべきではなかったと後悔はしていないのか？またその政治家たちは、自分の大切な郵便物がもし棄てられたら「自分の所為《せい》」と思う事ができるでしょうか？

「郵政民営化！」といえば、もう名前を言わずとも、どの政治家か、みなさんはおわかりですよね？

「ぶっこわす！」だとか、「構造改革」とか偉そうに言って、実は外資の証券会社に「ゆうちょ」（郵便貯金）を差し出すためだったと言われています。まったくどうしようもなくよけいなことをしてくれたもんだなと、僕は誠に憤慨しています。「『行革！』とか、『ぶっこわす』などと言いながら、『公共民営化だ！』なんて簡単にいう輩（政治家）は、その体制を作るために必死にあたまを絞って考え抜いた先人たちの苦労を知らないから、簡単に言えるのであり、いい年して苦労のひとつしたことのない子どもみたいな連中だ」と、評論家の中野剛志先生は冷ややかに斬り捨てます。

すでに引退しているこの政治家の次男は現在、世襲で父親と同じ道を歩んでいますが、自分の父の「間違い」をキチンと正せるくらいの立派な代議士に成長していただきたいです。しかし残念ながらこの次男も、外資に「農林中金」を差し出すため、今度は農協の民営化を目論んでいるようです。国民のみなさんで注視しましょう。親子で一体なにをやっているんでしょうか？　僕は彼には、国民の幸福を願うようなポエムを詠って欲しいです。

またこの父親は、政治家を引退しているくせに、「原発反対！」「原発による電力供給は今どき古い！」と、メディアに出てはこんなことを発言しています。もう自民党が、元自民党員にこんなことを言わせているなんて「末」です。外資や内外の邪《よこしま》なハゲタカどもから、国内を守る「規制」を緩和したり撤廃したりして、公共民営化を推進して外国企業の参入を煽り、グローバル化を図るのは売国奴のすることであり、もはや自民党は終焉を迎えています。これからは、ＭＭＴをよく理解し、国民のために大胆な財政出動を唱え、ナショナリズムに回帰を願う若手代議士たちが、自民党を凌駕し超越する新しい「党」の結成が急がれます。もう自民党は「過去の党」と言わざるを得ないのではないでしょうか？

ちなみに、「3・11東日本大震災」以前の国会予算委員会で、めずらしく気の利いた共産党の質問で、「福島原発の老朽化による耐震・改築工事」の提案に、「その必要はない！」と言い切ったのは、前出の「原発反対！」と言っている元政治家です。懺悔と思って言っているのでしょうか？

僕はこれまで、世界中の旧経済学者と政府（国家）をもつ各国の国民の九九%とともに、間違った貨幣感である「お金のプール論」で、国の経済を見てきました。でもＭＭＴを知り、誤りだと悟りました。

なぜ、ＭＭＴが正しいのか？

それはつまり、示す数字や根拠がとても明確だからです。また統計やヒストグラムなどのグラフ図もＭＭＴが如何に正しいかも明確に表れており、それに反論する「旧経済学者」らは、図も明確に表すことができず、もはや感情論だけで、「子どもの屁理屈」を聞いているとしてしか感じられないくらい幼稚なのです。

ずばり、「お金のプール論」をわかりやすく述べますと、「家計簿」や「こづかい帳」といったお金の記録は、個人の現金のみの収入・支出だけに存在し得るものであり、いろいろな歳出で発行するお金、つまり「貨幣」を扱う国家財政の収入・支出に当てはめて考えるのは間違いということです。

平たく言えば、個人の借金はあまり良いことだと思われませんが、国家（政府）が借金を背負うことは、資本（自由）主義国では国民の利益になることであり、健全なことです。よって、政府が子会社の日銀にお金を発行させているので「国の借金」とは言わず、また赤字や破綻に成り得もしないので、「政府負債」と言うのが正しく、つまり対極にいる「国民の資産」になるということです。「国の借金」とは旧経済学者が、印象操作でＭＭＴ論者を悪く言うために使う言葉です。

従いまして僕は、自分たちの間違いだったことが明確な事実であるにもかかわらず、それを認めずに、お金のプール論が正しいと言って意地を張り続ける「財政破綻論者」の主流派旧経済学者と同類項の人間になりたくないし、また学者でもないので、しがらみもございませんから、前著の『日本、一億人総幼稚時代』のなかで、誤りであった部分を認め、ここにお詫びとして訂正させていただきます。

99頁14行目「～人もお金も限りがあります」……日本は自国建て通貨の国債発行なので、限りはありません。

１００頁７行目「～この助成金や支援には、これとそれを我慢してもらわないと、予算が底をつく」……日本の社会保障費などの予算は、徴税した税収とは関係なく、自由に振り出せるので、底はつきません。

１４１～１４３頁の日本人の「ゼロリスクの呪縛」による税金の無駄遣いですが、ＭＭＴにより、税金の徴収や歳入・額に関係なく、自由に予算や国債を発行できることが証明されましたので、訂正いたします。しかし、逆累進課税となっている消費税は、一般会計のまま、ＰＢ黒字化のための財政収支に歳入しており、「社会保障費」に使われていないことが発覚しましたので、これには含まれません……ひどいですよね。よって、「リスク検査には多額の税金がかかるので、徴収した消費税は特別会計として、検査費用に回すべき」と表現するのが正しいのです。

145頁7行目「～なぜなら国家（日本）の台所事情や、社会知識が欠如～」

147頁7行目「～かくして国会は、国が現状でできることの限界を国民に伝え～」

日本は、国民総生産供給能力（最大GDP値）六百兆円を超えない限り、政府は国債の発行をできることがMMTにより証明されました。よってデフレ期での台所事情や、国が現状でできることの限界値など、遥か上で余裕があり過ぎて知る必要はありません。国民のみなさんは安心して政府に要求しましょう。なにしろ国債の発行は、必要な額を「書くだけ」ですから。

156頁9行目「～その政策がどれだけ国民や、国の予算に寄与できたか～」……予算には制約があっても余裕があるので、新法案の上程とその予算付けにどれだけ寄与できたかという表現が正しいです。

182頁13行目「～消費税8％でよくこれだけの保護政策ができているなと、僕は国家を称賛し、感謝したいです」……この消費税の使い道は、本書でも触れていますが、徴収した消費税を社会保障費に使いたいのなら、一般会計から特別会計にする必要があるのです。が、それをせずに、そのままPB（プライマリー・バランス）『政府財政収支』黒字化のために歳入していたことが発覚しましたので取り消します。社会保障費は、健全な税収、つまり「所得税」や「取得税」そして「固定資産税」などの累進課税から賄っているのです。また政府は、北欧などの高い税率の消費税を対比させて正当化を主張していますが、北欧諸国は富裕層からもしっかり直接税はとっており、リターンも大きいので国民の理解も得られ、「不公平」感もないと言います。逆累進課税にしかならない悪魔の税金、日本の消費税は、百害あって一利なしです。よくもだましたな……と国民を代表して言ってやりたい。

183頁3行目「~保護政策を当たり前のように考え、かつ不満に思って、消費税率をそのままにして、もっと政策を進めろとか、増やせと言います」……これも前述しましたように、消費税は社会保障費の財源になっていませんので、まずは「消費税を廃止にしろ」と叫ぶのが正しいのです。

195頁13行目「~なぜなら、資本主義国は、国民から税金を集めて運用し、国土と国民の繁栄を築くことこそが、最大の使命だからです」

税金の使命や役割はそれだけではありません。本文でも触れましたが、まずは過熱しすぎた好景気時や、冷え込みすぎた不景気時における景気の安定化装置（ビルトイン・スタビライザー）の役割。二つ目として、高所得者から税金を徴収し、低所得者あるいは「国民」向けの公共サービスや社会保障に支出して格差を是正し、国内を安定化させる役割。三つ目として、政府が「日本円」での税金支払いを求めたり、公共サービスや公共投資の支出を「日本円」で行ったりすることで、国内で「円」以外の外貨や仮想通貨などの流通を制限させる役割があります。

ちなみに税収と国家予算は関係ありません。なぜなら、新年度の四月に先に予算の支出が執行され、翌年三月の年度末に確定申告などで支払う税額がきまり、税金を徴収するからです。つまり税収入に関係なく、予算はいくらでも歳出されるのです。

201頁11行目~202頁10行目までの文章について、「~たとえば、日本のどこかで歴史的規模の震災が起きたからといって、何か特別なことをしようと考えずに、~故に、身の回りの人達が、ボランティアで現地に赴こうが経済が滞ることのないように、自分の仕事に励むという間接的支援を、胸を張って毅然として遂行すればいいのです」

この文章の表現についてですが、やはりこれも、政府は、企業などの利益にかかる法人取得税や、みなさんが働いて得る賃金からの税金の徴収やその額に関わらず、MMT流の解釈をすれば、災害の緊急時には特別会計として、すぐに「被災者生活再建支援金」の国債を政府小切手に書くだけで発行できるので、災害で経済活動が滞ってもすぐに予算が底をつくことはありません。けれども、これらの「社会保障費」は、前述したように健全な「累進課税」による税金からも賄われており、GDPが年率二~三%の成長をし続けるくらいの経済活性化は、過去の東日本大震災のときも、現代《いま》のコロナ禍のときにも、そしてさらに未来の天災の備えにも、「是が非でも」必要なことなのです。

こうしてMMTを理解すると、ポジティブ・ポリティカルに感じませんか?

しかし僕は思うのです。

世界一の資産家、大富豪の「ロスチャイルド家」と麻生太郎財務大臣が知己の関係にあることと、現総理大臣の菅義偉氏が元ゴールドマンサックスのアナリスト、デービッド・アトキンソンと親しい関係の間柄ということを歴史研究家の林千勝先生の講義で学びましたが、そのことに鑑みますと、現代《いま》の世界のグローバル化の潮流と、それをマネて従おうとする日本政府の時流に抗うのは、国民みなさんの反対と協力がなければ、たいへん過酷なことではないでしょうか？

なぜなら、彼らこそが、グローバリズムの「ディープ・ステート」側の人間だからです。その中のメンバーのデービッド・アトキンソンは、日本への工作員として送られてきたような人だから大したことはないのですが、問題なのが「ロスチャイルド家」のほうです。林先生の講義によれば、二〇〇〇年くらい前から、世界の政治と経済を裏で動かす、各国政府の大統領や首相さえ頭をひれ伏す「世界一の資産家」だからです。ロックフェラー家と世界を二分する大富豪であり、地球上の貨幣やお金の約半分の資産を持つと言われています。日本の学校や教科書では決して教えてくれない真（本当）の日本と世界の近代史（十八世紀〜）は、この両家無しでは絶対に語れないくらい歴史に大きな影響力を持つ人たちと林先生は言っています。しかしこれら「ディープ・ステート」の意思が世界の潮流であったとしても、本来我が国政府は、国民のために抗うべきなのです。

何故でしょうか？

それはやはり、彼らが利己で動いているからです。先進国・新興国・発展途上国・紛争国を問わず、世界各国のために利他のこころで動いているのなら、「協調・協力」は当然です。しかし残念ながら現状では、自分の身の回りの「富」が未来永劫に続くようにするために世界経済を動かしているとしか思えません。

彼ら一族は、銀行や石油・鉄道会社をいくつも設立して興したり、投資や買収、そして人脈を形成して行くためのあらゆる機関への寄付や個人への買収や金貸し等で、果てしなく財を築いてきました。それでもロックフェラー家は、初代でプロテスタントでもあったジョン・ロックフェラーが、幼い頃の病床の母親を持った苦労もあり、世界的貧困層にも多額の寄付を与え続け、現代《いま》でもNGOの「ロックフェラー財団」として運営しており、一族の伝統として受け継がれている「利他のこころ」の一面も見せています。

よって、これら世界的「金儲け」も、日本の江戸時代に暗躍した「ねずみ小僧」のように「弱き貧しさを助け、強き金持ちを挫く」という義賊の精神に基づく「金稼ぎ」であるとしたのなら話は別ですが……。

皆さんはどのようにご推察されるでしょうか?

さてここで、旧経済学者やリフレの方々に提案します。もうここらへんで、僕と同じように間違いを認め、デフレと不景気にあえぐ国や国民を救うために、プライドを捨ててみませんか？　恥ずかしがることなんて何もないと思うのです。なんせ、地球上の全人類の九〇～九九％の人たちが数百年も知らずに間違えていたのですから。認めても誰も責めたり怒ったりしないと思うし、やり直しはいくらでもできると思うのですが如何でしょうか？　ましてや、これからの地震災害や豪雨災害等の備えとして、防災設備や国土整備の建設国債の発行はもう待ったなしの急務といえ、迷っている暇なんてないのですから、是非、勇気を持っていただきたいのです。ご自分や御身内の命さえ危ないのですよ。

そしてもし、東京五輪がさらに延期になってしまい、たとえパリ五輪の次（二〇二八年）にされようが、次々回のロス五輪の次（二〇三二年）にされようが、今この本をお読みの読者さんと一緒に楽しめる日が来たらいいなと思っています。

よってこれを切に願い、神にお祈りをして結びといたしたく存じます。

まずはともあれ、世界中が一日も早く清浄国化されますように……。

令和二年（二〇二〇年）十月、都内某所のシェアオフィスにて、皇居を望みながら……

【参考文献】

『知識ゼロからわかるＭＭＴ入門』三橋貴明　著
『経済学が引き起こした２つの大罪』三橋貴明　著
『財務省が日本を滅ぼす』三橋貴明　著
『日本が国債破綻しない24の理由』三橋貴明　著
『日本経済２０２０年の危機』三橋貴明　著
『まだＭＭＴを知らない貧困大国日本』小浜逸郎　著
『グローバリズムその先の悲劇に備えよ』中野剛志・柴山桂太　著
『日本の没落』中野剛志　著
『水力発電が日本を救う』竹村公太郎　著
『「自粛」と「緊縮」で日本は自滅する』藤井　聡　著
『国家と教養』藤原正彦　著
『国家の品格』藤原正彦　著
『祖国とは国語』藤原正彦　著
『日本人の誇り』藤原正彦　著
『松下幸之助に学ぶ　部下を育てる12の視点』江口克彦　著
『生身の人間』曽野綾子　著
『人間の分際』曽野綾子　著
『本物の「大人」になるヒント』曽野綾子　著

参考文献

『国家の徳』曽野綾子　著
『私の危険な本音』曽野綾子　著
『魂を養う教育　悪から学ぶ教育』曽野綾子　著
『日本人の甘え』曽野綾子　著
『慰安婦像を世界中に建てる日本人たち』杉田水脈　著
『なぜ私は左翼と戦うのか』杉田水脈　著
『日米戦争を策謀したのは誰だ！』林　千勝　著
『米中新冷戦の正体　脱中国で日本再生』馬渕睦夫・川添恵子　著
『子々孫々に語りつぎたい日本の歴史』中條高徳　渡部昇一　著
『おじいちゃん戦争のことを教えて』中條高徳　著
『おじいちゃん日本のことを教えて』中條高徳　著
『日本が戦ってくれて感謝しています』井上和彦　著
『女子と愛国』佐波優子　著
『日本の決断』櫻井よしこ　著
『「正義」の嘘』櫻井よしこ　花田紀凱　著
『大放言』百田尚樹　著
『バカの国』百田尚樹　著
『日本が売られる』堤　未果　著
『報道が教えてくれないアメリカ弱者革命』堤　未果　著

『沈みゆく大国アメリカ』堤　未果　著
『株式会社アメリカの日本解体計画』堤　未果　著
『日本に絶望している人のための政治入門』三浦瑠麗　著
『これからの世界をつくる仲間たちへ』落合陽一　著
『10年後の仕事図鑑』落合陽一・堀江貴文　著
『戦争犯罪国はアメリカだった！』ヘンリー・S・ストークス　著
『アメリカ人が語るアメリカが隠しておきたい日本の歴史』マックス・フォン・シュラー　著
「正論」２０１５年・５月号「W・G・I・P」文書、ついに発掘　関野通夫　著
『食のリスク学』中西準子　著
『逝きし世の面影』渡辺京二　著
『法則「時流を読む・未来を読む」』船井幸雄　著
『日本、一億人総幼稚時代』細井みつを　著
「正論」２０２０年４月号　中国という禍より、
「憲法改正も視野に緊急事態に備えよ」百地　章
「感染症対策は安全保障問題だ」一色正春
「あまりにひどい国会の体たらく」阿比留瑠比
「堂々と〝媚中〟する二階幹事長の罪」正論編集部

著者プロフィール

細井 みつを（ほそい みつを）

1961年、小さな町工場の零細企業経営者の三代目として埼玉県に生まれる。キリスト教カトリックの中高を経て、拓殖大学政治経済学部経済学科に入学。この頃から、家業を継ぐような話をされ、徐々に後継者の自覚を持つようになる。先代の父から「家業は特殊な業界だから、卒業後すぐに家業に入って欲しいので、他人の釜の飯を食う苦労は学生のうちに……」と言われたので、大学時代は、勉強よりアルバイトに明け暮れる。しかしその頃の経験や社会人との交流が、世の中のルールやマナー、秩序等を学ぶ貴重な経験となった。中でも、学生指導者のアルバイトやボランティアの活動が、道徳や秩序を重んじるきっかけとなっている。

卒業後、父の会社の後継者として入社し、主に営業を任され、17年間営業業務に携わり、大いに人情の機微に触れ、2001年、代表取締役に就任、現在に至る。「今の優秀な部下達がいなかったら、執筆なんてあり得なかった」と断言できるくらい、小さい会社の割にはよい人材に恵まれ、最近では自社の実務から片手間が省けるようになった。

そんな人生の時を経て、部下のおかげもあり、自分の時間に少し余裕ができたので、永年の夢であった上梓を果たすべく『日本、一億人総幼稚時代』を執筆した。そして今回が二作目の上梓となる。

妻と息子との三人暮らしで、日々に感謝をしながら過ごしている。

豆タンクと零細企業 日本が進むべき道を考える・国民が進むべき道を考える

2021年 4 月15日 初版第 1 刷発行

著 者 細井 みつを
発行者 瓜谷 綱延
発行所 株式会社文芸社
〒160-0022 東京都新宿区新宿1－10－1
電話 03-5369-3060（代表）
03-5369-2299（販売）

印刷所 図書印刷株式会社

ISBN978-4-286-22710-8